NOUVELLES MYTHOLOGIES

NOUVELLES MYTHOLOGIES

sous la direction de

Jérôme Garcin

ÉDITIONS DU SEUIL
*25, bd Romain-Rolland, Paris XIVe*

ISBN 978-2-02-096233-9

www.seuil.com

Préface

par Jérôme Garcin

Il faut imaginer le choc. Un professeur de quarante ans, l'auteur du *Degré zéro de l'écriture*, encore tout plein de Racine et de Michelet, ose se passionner pour les objets de la vie quotidienne et les clichés sociaux. À la phénoménologie, il ajoute la sémiologie. Lui qui appartient à cette caste maudite d'intellectuels « profiteurs » et « abrutis », dont Pierre Poujade juge qu'elle est déconnectée du réel, fait pourtant parler les affiches publicitaires, interpelle les marques et raisonne les frites.

Il étudie le cérémonial d'un match de catch, les franges des cheveux et les gouttes de sueur chez les Romains du *Jules César*, de Mankiewicz, ou la posture de l'abbé Pierre avec le même soin qu'il mettra bientôt à décomposer la musique de Boulez ou révéler une photographie de Mapplethorpe. Il trouve du signifiant au fond des paquets d'Omo, de Persil et de Paic. Il décode le message secret des perdreaux piqués de cerises et du chaud-froid de poulet rosâtre dans *Elle* – lequel magazine est, selon lui, un « véritable trésor mythologique » –, décrypte la rubrique astrologique de *Votre cœur* et les noces de Miss Europe 53 dans *Match*. Avec beaucoup d'ironie, il met rien de moins que du « prestige » dans la viande de bœuf crue, veut croire que l'automobile est l'équivalent des cathédrales gothiques, élève le Tour de France à la hauteur d'une grande épopée et tient le *Guide bleu*, surtout celui consacré à l'Espagne franquiste, pour le vaniteux vade-mecum de la bourgeoisie en villégiature. Il invente, avant le nom, la vogue du *people* et la fonction de la photogénie électorale. Il analyse, le premier, les nouvelles méthodes de la communication, la manière dont les médias façonnent l'opinion publique (notamment lors de l'affaire Dominici), dont les photos-chocs introduisent « au scandale de l'horreur, non à l'horreur elle-même », dont les studios Harcourt déifient les comédiens dans un Olympe en noir et blanc, mais aussi la technique avec laquelle « la réclame » impose sa loi domestique et gouverne, à l'insu de ses victimes, les comportements populaires.

Car notre mythologue, s'il s'inspire de Saussure et de Hjelmslev, est d'abord marxiste et brechtien. Qu'il ausculte la DS19 (« La Déesse est *d'abord* un nouveau *Nautilus* »), fasse dégorger jusqu'au dégoût les vers de Minou Drouet, palpe en connaisseur du polystyrène ou découpe, tel le médecin légiste, un bifteck saignant, c'est pour débusquer ce qui fait signe et afin de relever, sous abri, les signes ambiants et éloquents de la Quatrième République du président René Coty. Sans cesser, ajoutait-il, « de prendre systématiquement en bloc une sorte de monstre que j'ai appelé la petite bourgeoisie, et de taper sur ce bloc ! ».

Mais il y a un paradoxe : Roland Barthes mythifie si bien ce qu'il dénonce qu'on peut lire aujourd'hui son encyclopédie subversive avec une tranquille nostalgie ; elle est devenue une littérature d'ambiance, comme on le dit de la musique. L'œuvre était d'abord politique, elle finit par ressembler, avec le temps, à un merveilleux bric-à-brac, un étonnant vide-greniers, un magasin d'enfance, une foire à tout – ainsi qu'on appelle, en Normandie, ces improbables et modestes brocantes où les électrophones à piles côtoient les autos miniatures Norev, ces Simca Aronde, Panhard Dyna, Renault Dauphine au 1/43e ou au 1/86e.

En relisant aujourd'hui ce livre qui a tant marqué une génération, l'on ne peut s'empêcher de se demander si, tout en stigmatisant une époque qui à la fois l'excite et l'exaspère, ce doctrinaire émotif, que l'obsession du deuil n'a jamais quitté, ne travaille pas à sauvegarder déjà ce qui est voué à disparaître, s'il ne fabrique pas des souvenirs par anticipation et des objets de mémoire par prétérition.

C'est en février 1957 que paraît aux éditions du Seuil, sous le titre *Mythologies*, un recueil de cinquante-trois chroniques brillantissimes publiées, les années précédentes, dans les *Lettres nouvelles*, *Esprit* et *France-Observateur*. Plaisir du texte, joie de recevoir.

Alors que la France, tiraillée entre son goût de la tradition et son désir de modernité, succombe au charme pulpeux de Brigitte Bardot dans *Et Dieu créa la femme*, chante avec Boris Vian la fièvre de l'électroménager, « son Frigidaire et son atomixeur », et vote en masse, aux élections législatives, pour Pierre Poujade, président de l'Union de défense des commerçants et artisans, avocat lyrique du « bon sens », héros de la petite bourgeoisie râleuse, corporatiste et rétrograde, le jeune Roland Barthes fait donc le portrait acide de la société de consommation française à travers ses mystifications, ses allégories, ses tautologies, ses icônes économiques, domestiques et politiques. (Il n'est d'ailleurs pas interdit de voir une manière d'apologue dans sa mort accidentelle, celle du professeur de sémiologie renversé en 1980, devant le Collège de France, par une camionnette de teinturerie. Il arrive en effet que les objets se vengent d'avoir été trop bien désassemblés, décortiqués, déconstruits, désavoués, comme l'élève punit son génial pygmalion.)

Un demi-siècle après sa parution, ce tableau de mœurs, dont la virulence s'est adoucie mais où la causticité et la tendresse demeurent – car Roland Barthes n'était pas seulement un démystificateur prémonitoire, c'était aussi un moraliste flaubertien et un mémorialiste de soi-même –, a gardé son éblouissant éclat. Fidèles aux principes, sinon idéologiques, du moins sémiologiques et parfois sarcastiques de son auteur, nous avons décidé d'ouvrir, à notre tour, le bazar des années 2000.

Des romanciers, des sociologues, des philosophes, des historiens, des neurologues, des économistes, des psychanalystes, ont chacun choisi une mythologie 007, qu'ils présentent non pas à la manière de Barthes, mais dans son esprit, humour compris. Ainsi le volume que vous tenez entre les mains prolonge-t-il l'ouvrage lui-même mythologique qui l'a inspiré. Entre-temps, on est simplement passé de la France de Coty à celle de Sarkozy, de Poujade au poujadisme, de l'ancien franc à l'euro, du steak-frites au sushi, de la DS au 4 × 4, et du visage « plâtré » de Garbo au corps huilé d'Emmanuelle Béart.

Seul – on n'ose parler de miracle – l'abbé Pierre, qui s'est éteint au Val-de-Grâce le 22 janvier 2007, a survécu pendant cinquante ans à son propre mythe, tel que Barthes l'avait défini à l'origine. « C'est une belle tête, qui présente clairement tous les signes de l'apostolat : le regard bon, la coupe franciscaine, la barbe missionnaire, tout cela complété par la canadienne du prêtre-ouvrier et la canne du pèlerin. Ainsi sont réunis les chiffres de la légende et ceux de la modernité. » Et, après avoir arpenté « la forêt de signes » dont l'abbé était couvert, Barthes conclut par cette phrase qui tient de la prémonition : « J'en viens alors à me demander si la belle et touchante iconographie de l'abbé Pierre n'est pas l'alibi dont une bonne partie de la nation s'autorise, une fois de plus, pour substituer impunément les signes de la charité à la réalité de la justice. »

À la fin de *Paludes*, André Gide avait réservé à « l'idiosyncrasie » du lecteur quelques pages blanches. Nous conseillons donc à celui de ces *Nouvelles Mythologies* d'y ajouter dès aujourd'hui les siennes, en espérant que nos enfants de 2057 écriront les leurs, à leur tour. Et ainsi de suite. Ces fragments d'un discours sémiologique constitueraient, à côté des *Lieux de mémoire*, de Pierre Nora, une histoire inédite de la France contemporaine, et le plus bel hommage rendu à Roland Barthes, l'empereur des signes.

Nelly Arcan

Le *speed-dating*

Le *speed-dating* est une façon très courue d'aborder l'autre sexe « en gros ». C'est un dispositif de rencontres à grande surface. Une foire, en somme, où l'on circule dans le but avoué de trouver chaussure à son pied. L'aveu rejette à l'extérieur du cadre ce voluptueux flottement entre deux étrangers que permet l'ambiguïté, pourtant essentielle aux jeux de la séduction, et bientôt le vertige de la nouvelle rencontre est remplacé par un sentiment de déjà-vu. Ces rencontres, structurées par une routine qui leur préexiste, deviennent une pratique, un Bingo.

Nulle réelle conquête dans ces enclos où les « éléments » du couple se mettent en place d'eux-mêmes. Car de nos jours conquérir a quelque chose de trop laborieux. Il faut être tout de suite au parfum. On est à l'heure de l'économie de soi, dans « l'interpersonnel ». Pour cette raison, le *speed-dating* intéresse surtout les professionnels à l'agenda chargé, habitués aux plages horaires et aux dates limites, pour lesquels la première impression, tel un costume plaqué sur l'autre, veut tout dire.

« Cette fois-ci c'est bien », confie un homme lors d'une soirée, dans un bar branché à l'ambiance décontractée, à mi-chemin entre *Ally McBeal* et *Sex and the City*.

« La dernière fois, toutes les filles étaient moches. »

Il est désormais possible de séparer rondement le bon grain de l'ivraie, le baisable de l'inutilisable. Car le *speed-dating* connaît les besoins de ses clients et leur permet de ne pas perdre ce qu'ils ont de plus précieux : leur temps.

Dans un endroit choisi, souvent un bar ou une salle d'hôtel, on rassemble un nombre équivalent d'hommes et de femmes ensuite groupés par tranches d'âge. À l'intérieur de chaque groupe s'enclenche une rotation de face-à-face où les femmes sont assises à une table, et où ce sont les hommes, par galanterie, qui s'assoient devant elles pour se rediriger, au son d'une clochette, vers une autre femme, assise à une autre table.

Les tête-à-tête, d'une durée de cinq à dix minutes, comportent deux règles : ne pas échanger de coordonnées et ne pas signifier à l'autre si l'on souhaite, ou non, le revoir. En passant en revue la matière baisable, il convient de ne pas heurter les sensibilités. C'est donc aux organisateurs que revient la tâche d'accoupler ceux qui se sont, de part et d'autre, choisis, par le biais d'une inscription de numéros sur la « fiche de sélection ». Peu de succès, beaucoup de ratés, et encore plus d'échecs une fois dehors, dans la jungle qui ne se soumet à aucune méthode et où la réalité, qui arrive comme un accident, ne manque pas de faire chuter les couples fraîchement formés. Peu importe. Dans ce monde où ses concepteurs, qui se proclament « faciliteurs d'amour », travaillent pour vous, l'absence de réciprocité demeure une information confidentielle.

C'est justement dans l'évitement des vexations individuelles que l'expérience du *speed-dating* – qui devrait pourtant être angoissante, et d'une rudesse inouïe, mais qui ne l'est apparemment pas (du moins pour ses adeptes) – laisse voir sa véritable fonction, son but inavouable. Au-delà du décor qu'il campe, le *speed-dating* permet d'évacuer le dépit d'être rejeté par ceux que l'on choisit, en faisant disparaître ce rejet dans la médiation qu'impose le procédé. Plus que d'offrir le spectacle d'individus étalés comme une gamme de choix, un échantillonnage, plus qu'un mode d'évaluation rapide où l'autre devant soi est systématiquement scanné, le *speed-dating* est une machine qui digère dans l'ombre, à la place des participants, la succession des rejets dont ils sont l'objet.

Nulle perte quand on perd dans un cadre qui fait de l'échec le lot commun. « Speed-dater », c'est faire un tour de piste en contournant les risques de la conquête de l'autre. L'entreprise n'est jamais personnelle. Ses résultats deviennent l'affaire du groupe, et celle des organisateurs.

Que le lien d'amour ait ses grossistes n'a rien pour étonner. Déjà ils se profilaient derrière les annonces classées, les agences et sites Internet de rencontres. Le *speed-dating* en est le dernier cri. Le temps est à la capture de l'autre sous un filet de critères. Dans ce mythe du « rendement amoureux » par l'autopromotion, la réclame et l'accumulation, où les probabilités sont mises à profit, dans ce mythe des sentiments gérables, dans la fabrication des conditions préalables à leur émergence, ce sont ces conditions mêmes qui sont détruites. Car pour séduire l'autre, et le conquérir, il faut savoir se faire attendre là où il ne pense pas nous trouver.

Dernier ouvrage paru : *À ciel ouvert*, Paris, Seuil, 2007.

Pierre Assouline

Michel Houellebecq

Cet homme est un symptôme à lui tout seul. Un tel coup du sort ne menace que les écrivains transférés de la rubrique littéraire à celle des phénomènes de société. On peut s'en faire une gloire mais il est permis également de le déplorer, car du phénomène à l'énergumène, il n'y a qu'un pas. Michel Houellebecq avait pourtant bien commencé dans la vie, du temps où il gérait l'informatique de l'Assemblée nationale. Il a basculé le jour où il a imposé la publication de son premier roman à Maurice Nadeau, lequel eut le flair de renifler dans l'ours d'*Extension du domaine de la lutte* ce que le léthargique jeune homme ferait de mieux, avant de le laisser se faire happer par de grands éditeurs. On connaît la suite puisqu'il fut impossible au Français alphabétisé d'y échapper à la charnière des deux siècles : *Les Particules élémentaires, Plateforme, La Possibilité d'une île.* Grands succès, gros scandales. Impossible avec lui de séparer un livre du bruit qu'il fait. D'année en année, le mystère s'épaississait : comment un auteur aussi cynique dans la manifestation de sa misogynie pouvait-il remporter tant de suffrages dans les librairies, alors que celles-ci sont de notoriété publique fréquentées majoritairement par des femmes ? Ses interviews et ses photos n'arrangeaient rien. On y découvrait un type pas très net qui fumait ses cigarettes avec une maladresse de collégien ; un penseur qui bredouillait des pensées vaseuses sur un ton poussif dégageant un ennui profond ; un séducteur narquois au masque de traître de comédie ; un nouveau riche qui n'avait trouvé rien de plus urgent que de s'installer là où il ne paierait pas d'impôts sur le revenu et de se faire implanter devant ses cheveux de derrière ; un lauréat du Goncourt qui n'hésitait pas à draguer d'influents jurés en allant leur présenter son chien ; un islamophobe qui eut la lâcheté de se défausser sur la presse le jour où la justice le plaça face à des musulmans ; un prétendu grand lecteur qui échangerait volontiers tout ce que publia la NRF depuis les origines contre une page de Lovecraft.

Michel Houellebecq n'en était pas moins un symptôme ambulant, le plus exact reflet d'une certaine société française déboussolée par la crise et les nouveaux temps, exaltée par la technologie et confortée dans une sexualité médiocre. Le *Zeitgeist* fait homme. Un sociologue-né dans l'écriture duquel certains voulurent voir un styliste, un classique et le cousin du cardinal de Retz ; après tout, il y en eut bien pour ne pas déceler la panoplie rhétorique du *new age* le plus éculé derrière sa quête de la vie éternelle. Grâces lui soient rendues d'avoir été au fond un précieux outil dans notre quincaillerie mythologique. Les universités américaines et finlandaises lui consacrèrent un nombre de thèses rivalisant avec celles vouées à l'œuvre de Robbe-Grillet. Il sera intéressant de se maintenir en vie un certain temps encore, ne fût-ce que pour voir quelle sera la fortune des livres de Michel Houellebecq. Les plus sages alors souriront d'aise : presque seuls contre presque tous, ils se souviendront avoir annoncé qu'une bonne partie de sa littérature ne devait pas être lue autrement qu'au troisième degré, de même que nombre de ses propos publics devaient être entendus comme une manifestation d'humour, seul moyen de le prendre pour ce qu'il est, au fond : un auteur comique.

Dernier ouvrage paru : *Le Portrait*, Paris, Gallimard, 2007.

Jacques Attali

Les 35 heures

Ce qui m'a toujours intrigué, dans les 35 heures, c'est le nombre : 35. Pourquoi pas 36 ou 34 ?

Depuis des siècles, la durée du travail mesure le niveau du progrès social : plus les sociétés sont riches, moins, en théorie, on y travaille. D'abord on mesura cette durée par le nombre d'heures travaillées par jour, et ce nombre fut très longtemps le principal enjeu des batailles ouvrières : on mourut pour travailler moins de douze heures, de dix heures, puis de huit heures. On passa ensuite au nombre d'heures par semaine : ce fut d'abord la grande bataille pour la réduire au-dessous de 48 heures, puis de 40 heures. Les autres durées n'ont jamais été des enjeux : personne ne connaît le nombre d'heures travaillées par mois (environ 150), dans l'année (environ 1 600), et encore moins dans la vie (plus de 64 000) : ces nombres sont trop élevés, trop abstraits. Par contre, un nombre à deux chiffres, c'est un bel enjeu.

En 1981, la gauche française franchit un pas en passant de 40 heures à 39. Longtemps, après, personne n'osa y toucher. Partout dans le monde autour de nous, la durée du travail baissait, pendant qu'en France nul n'osait plus franchir cette barrière. Et puis, un jour, en 2002, Martine Aubry, reprenant une idée de Dominique Strauss-Kahn, osa. Elle parla de 35 heures.

35 heures... pourquoi ce nombre? Rien ne l'imposait. Pour ma part, j'aurais préféré 36. Parce que c'est la date du Front populaire, parce que c'est les trois quarts de 48, autre date révolutionnaire, et parce que c'est un nombre divisible par deux, par trois, par quatre, par six, par neuf, par douze. Un de ces nombres mythiques, précieux, sacrés, auquel personne n'ose toucher.

Personne n'aurait osé remettre en cause les 36 heures. Les 35 ne furent jamais prises au sérieux. On se battit pour ou contre. On crut que c'était la réponse au chômage. On crut que le travail se partageait, comme les tartes aux pommes. Et puis, quand la preuve fut faite que le chômage ne disparaissait pas, on commença à douter de la valeur de cette réforme. Bien des gens se prirent à considérer les 35 heures comme une décision arbitraire, sans véritable raison d'être, sans fonction particulière dans l'inconscient collectif, qu'on peut détruire sans dommage.

Et les 35 heures disparurent, sans véritable bataille.

Un jour, on travaillera, au sens classique du travail, moins de 30 heures par semaine, moins de 1 000 heures par an, mais plus de 80 000 heures dans une vie de plus en plus longue. Un jour, on comptera même comme un travail le temps passé à apprendre, à acheter, à se déplacer, à répondre au téléphone, à se servir d'un ordinateur hors du lieu de travail. Un jour aussi, on comprendra même que travailler, jouer, apprendre, c'est la même chose. On réalisera aussi que la maison, le métro sont des lieux de travail comme les autres.

La vraie bataille sera alors ailleurs : on parlera non plus du nombre d'heures de travail, mais du nombre d'heures vraiment libres, sans contraintes, sans obligation d'aucune sorte. Combien sont-elles ? Moins d'une dizaine par semaine sans doute, pour la plupart des humains. Un jour, peut-être, la vie sera conquête de liberté et non plus réduction des contraintes.

Dernier ouvrage paru : *Une brève histoire de l'avenir*, Paris, Fayard, 2006.

Marc Augé

Le 20-Heures

Tout rite est sous-tendu par un mythe. Le mythe du journal télévisé, c'est le récit du monde, un récit sans fin où les mêmes personnages ne cessent de se manifester.

Un mythe n'est pas simplement un récit. Il suppose l'existence d'un univers dont les fondements ne se discutent pas. Le récit du journal télévisé est le fait du « présentateur », qui a dans le monde des représentants de divers ordres, envoyés spéciaux ou enquêteurs. Entre le monde et nous, il se présente comme un médiateur. J'existe et le monde existe parce que le médiateur existe, et réciproquement. Cette situation de dépendance réciproque a pour corollaire une représentation ambiguë de la factualité : les faits sont les faits, mais ils ont besoin du médiateur, de sa parole et de l'image qui est censée l'illustrer. Il en résulte que le spectateur s'habitue à croire qu'il connaît parce qu'il reconnaît. Quant au présentateur, en se rendant de temps en temps « sur place » ou en interviewant l'une ou l'autre des figures de l'actualité, il cautionne l'existence du monde.

Entre sa parole apparemment objective et les suggestions de l'image, il y a un écart sur lequel peut se mesurer l'orientation de « l'information ». Quant à l'accumulation de nouvelles sans commune mesure les unes avec les autres, elle constitue en elle-même une image de globalité et de totalité caractéristique du mythe et de l'idéologie : vous savez tout, dormez en paix.

La médiation, la factualité, la reconnaissance et la totalité composent un ordre qui transcende les péripéties de l'actualité et en conditionne la présentation. Que le médiateur soit blanc ou noir, homme ou femme, n'y change rien, mais signifie éventuellement que quelque chose a bougé, à la marge, dans cet ordre lui-même : pour le coup, c'est une information.

Dernier ouvrage paru : *Métier d'anthropologue : sens et liberté*, Paris, Galilée (coll. « Espace critique »), 2006.

Nicolas Baverez

Le plombier polonais

La figure mythique du plombier polonais a dominé la campagne référendaire sur le projet de Constitution européenne, qui s'est achevée, le 29 mai 2005, avec le rejet du texte par 55 % des Français. Ce scrutin a joué un rôle décisif. Il a mis fin à l'engagement prioritaire de la France dans la construction communautaire, qui constituait le principal facteur de continuité de sa politique intérieure et extérieure, et lui valait une sorte de droit d'aînesse en Europe. Trois ans après le krach civique du 21 avril 2002, il a marqué l'apogée de la crise identitaire de la France, la faiblesse et l'inconséquence de Jacques Chirac ouvrant un espace maximal à la démagogie et à l'extrémisme. Enfin, prolongé par le vote négatif des Pays-Bas, il a initié une crise aiguë de l'Union, jusqu'à menacer la dynamique de l'intégration du continent engagée depuis les années 1950.

Rien ne prédisposait le personnage du plombier polonais à occuper le centre du débat public français autour de l'Europe. Rien sinon le fait qu'il s'est trouvé de manière improbable au point de confluence entre les polémiques entretenues autour de la directive sur les services proposée par Frits Bolkestein, l'affaiblissement de la classe politique et des partis de gouvernement sous la pression des extrémistes, l'emballement des passions et des peurs collectives face au décrochage de la France.

La figure du plombier polonais a émergé à l'extrême gauche, au sein du mouvement altermondialiste, avant d'être reprise par l'extrême droite, de Jean-Marie Le Pen à Philippe de Villiers, et par les socialistes s'opposant à la Constitution, au premier rang desquels Laurent Fabius. Elle est censée cumuler les signes de régression et véhicule toutes les angoisses d'une nation éclatée, déstructurée et désemparée. Sous le travailleur manuel pointe la terreur de la chute des classes moyennes. Sous la concurrence dans les services pointent le poujadisme et la volonté exacerbée des corporatismes de défendre les protections dont ils bénéficient. Sous la libéralisation des services pointent les doutes sur la pérennité du pseudo-modèle social français et la crainte obsessionnelle des délocalisations. Sous l'invocation de l'étranger pointe le déchaînement de la xénophobie, voire du racisme. Sous la Pologne pointe la nostalgie de la France pour l'Europe des Six et l'ordre bipolaire de la guerre froide, qui va de pair avec sa réticence devant la réunification du continent. Sous les nouvelles démocraties pointe le refus de la France de s'adapter à la mondialisation et à la nouvelle donne du XXIe siècle.

Voilà pourquoi le plombier polonais, armé de ses moustaches et de sa clé à mollette, a été érigé par les adversaires de la Constitution en symbole de la mondialisation et d'une Europe libérale, venant égorger les emplois et les acquis sociaux des citoyens français jusque dans l'intimité de leurs salles de bains et de leurs conduits de chauffage.

Il n'est pas certain que la plomberie constitue réellement une spécialité ou un avantage compétitif de la Pologne. Il est en revanche établi que le plombier polonais relève de la fantasmagorie, de ces mythes qui constituent l'exception politique française et qui cultivent les délires idéologiques pour nier la réalité des transformations du monde. Avec à la clé des périodes de décrochage brutal comme dans les années 1930 ou lors du dernier quart du XXe siècle.

Tout est en effet absurde dans la construction symbolique du plombier polonais. D'abord, la Pologne est un allié traditionnel de la France depuis le XVIe siècle, et nullement un pays hostile; elle reste une figure de proue du combat pour la liberté au XXe siècle, tant par sa résistance héroïque face aux totalitarismes nazi et soviétique qu'à travers la part déterminante qu'elle prit dans la chute de l'URSS, du mouvement Solidarność de Lech Walesa à Jean-Paul II. Ensuite, la France a déjà accueilli plusieurs générations d'immigration polonaise, qui ont contribué au développement de l'industrie, dans le Nord et dans l'Est en particulier, et se sont remarquablement intégrées dans la communauté des citoyens français. Enfin, la réunification du continent européen et l'immigration venant de l'est sont autant d'atouts pour la relance de l'activité en France. Les pays émergents d'Europe centrale et orientale croissent de 5,2 % en moyenne et tirent l'activité de l'Union vers le haut. Et l'Irlande démontre avec éclat que l'immigration polonaise est un excellent vecteur de développement et de richesse pour les nations : elle a en effet accueilli plus de 330 000 Polonais depuis 2004 tout en affichant un taux de croissance de 6 % (contre 2 % pour la France), un taux de chômage de 4,3 % (contre 9 % en France), un revenu moyen par habitant de 38 000 euros par tête supérieur de 25 % au niveau français, et une dette publique de 25 % du PIB (contre 65 % en France).

La dénonciation du plombier polonais a cristallisé les pulsions anticapitalistes, antilibérales et anti-européennes qui ont culminé avec le référendum de 2005. Économiquement incohérente et politiquement scandaleuse, elle a participé de la régression de la France dans les premières années du XXIe siècle. Régression économique et sociale. Régression démocratique, avec l'explosion de la démagogie et des extrémismes. Régression intellectuelle et morale, avec le refus de la révolution de la liberté de 1989 et du développement économique des pays émergents favorisé par la mondialisation. Elle a également accéléré la division et la crise idéologique de la gauche française non seulement sur l'Europe mais sur les questions clés du travail et de la production, de l'immigration et de la nation. La diabolisation du plombier polonais a acté le basculement de la gauche française vers des positions protectionnistes, malthusiennes et nationalistes, qui l'ont coupée de la modernité comme des sociaux-démocrates qui dominent la gauche européenne.

Le plombier polonais a pris sa revanche de 2005 lors de l'élection présidentielle de 2007. La gauche a perdu une élection *a priori* imperdable pour elle compte tenu du bilan des mandats de Jacques Chirac, pour avoir refusé tout *aggiornamento* idéologique et s'être enfermée dans des conceptions politiques et une doctrine économique archaïques, continuant à subir l'influence du marxisme. Surtout, les Français ont rompu avec la posture de la protestation et du nihilisme pour émettre un vote d'adhésion et faire le choix des réformes pour adapter le pays à la nouvelle donne du XXIe siècle et lui rendre son rang dans la société ouverte comme dans l'Europe réunifiée. Naguère diabolisée, la figure du plombier polonais mérite donc d'être promue en symbole de la refondation de la gauche et du redressement de la France, tant elle incarne la libéralisation de l'économie, l'ouverture de la nation, la relance de l'intégration du continent européen, la révolution de la liberté, soit autant de déclinaisons de la modernité.

Dernier ouvrage paru : *Que faire ? Agenda 2007*, Paris, Perrin (coll. « Tempus »), 2007.

Frédéric Beigbeder

Le GPS

Après la mort de Dieu, l'être humain a cru qu'il était perdu ; heureusement, le guidage par satellite lui a permis de retrouver son chemin. Au départ réservée aux conducteurs automobiles, cette invention existe désormais en écran portatif. De plus en plus de passants promènent ainsi dans la poche de leur pardessus une petite boîte noire qui leur donne des ordres vocaux : « À 300 mètres, tournez à gauche. » La voix monocorde de la machine n'est pas très bien éduquée (elle ne dit ni « s'il vous plaît » ni « merci »), mais le paumé se plie tout de même docilement à ses injonctions car il sait qu'elle détient la vérité. Il sait que la boîte GPS envoie un signal à des milliers de kilomètres au-dessus de sa tête, que ce signal identifie sa position au centimètre près et qu'ensuite un écran va lui indiquer la voie à suivre sur une carte routière. C'est une révolution dont il n'a pas encore mesuré l'ampleur.

Pendant des millénaires, l'homme devait demander son chemin à des inconnus : c'était humiliant, parfois ridicule, mais lui permettait de rencontrer de nouveaux amis et de visiter des endroits imprévus. En se perdant, il allait à la découverte d'horizons nouveaux et de peuplades exotiques, tels Christophe Colomb ou Claude Lévi-Strauss. À présent, il sait où il va et ne parle plus à personne, partout dans le monde, même au coin de sa rue. Il est cartographié, rassuré, protégé. S'il voulait se perdre, il lui suffirait d'éteindre la machine (ou d'attendre que la batterie soit épuisée), mais il ne le souhaite plus. L'homme contemporain se croit libéré d'une contrainte : en réalité, sa contrainte se nommait liberté. Car le satellite est aussi un outil de surveillance. Avec le GPS, nous savons où nous sommes mais nous ne sommes pas les seuls à le savoir. L'humain est devenu le seul animal géographiquement repérable. À chaque fois qu'il allume son téléphone mobile ou son GPS, il ne peut plus se cacher : on peut lui envoyer des missiles, ou la police, ou sa femme. En perdant le goût de la flânerie et de l'errance, il a aussi abandonné un autre luxe : le secret.

Dernier ouvrage paru : *Au secours pardon*, Paris, Grasset, 2007.

Patrick Besson

Les journaux gratuits

Le gratuit : la vieille obsession soixante-huitarde de vivre pour zéro centime. Je revois les babas en Grèce, dans les années 1970 et 1980, marchander un yaourt au lait de brebis. Ou, de nos jours, au marché aux livres anciens du square Georges-Brassens, les bobos demander une réduction de 50 centimes sur un livre de poche à 1 euro. La radinerie de Grandet portée sur les fonts baptismaux de l'ultragauchisme agonisant en libéralisme caritatif.

Quand on vous donne une chose pour rien, c'est qu'elle ne vaut rien. Ou que la personne qui l'a faite n'a pas été payée. Ou qu'on va vous prendre, en échange, quelque chose d'autre. Dans les trois cas, on est mal. Le journal gratuit est un journal télévisé qu'on a vu la veille pour zéro euro, sauf qu'à la télé les publicités sont avant et après alors que dans le journal elles sont au milieu. Les analyses ne sauraient être de gauche ou de droite, car le lecteur, ne s'étant pas engagé à la payer, ne tolérerait pas une autre opinion que la sienne. Ces cinq ou six personnes sur dix, le matin dans le métro, absorbant une absence de point de vue sur le monde. C'est beau comme George Orwell. Ou une scène de *Matrix* (les frères Wachowski, 1999) coupée au montage pour lenteur. Et laideur.

Comment accepter qu'en démocratie un distributeur de croissants et de pains au chocolat gratuits officie à deux mètres d'une boulangerie-pâtisserie où les mêmes produits sont payants? Ça porte, en droit commercial, un nom: concurrence déloyale. Si j'étais candidat à l'élection présidentielle, je proposerais la suppression des journaux gratuits. Comme ça, Karine Papillaud perdrait son travail et pourrait finir son premier roman.

Dernier ouvrage paru: *Belle-sœur*, Paris, Fayard, 2007.

Bessora

Les compagnies *low cost*

Noces de latex. Je les ai pêchées sur le Net. Abonnement discount sur un site de rencontres. 10 euros par mois pour 60 000 femmes à portée de souris. Au début je cherchais la perle rare. Aujourd'hui je fais du retour sur investissement : une femme tous les deux jours, c'est mon rythme de croisière.

Une croisière, j'en ai trouvé une d'ailleurs, en promo sur la Toile. Un week-end pour deux à Dublin pour le prix d'un Mac Do. Ça a plu à la jolie rousse qui me harponnait sur le site avant-hier. Quand je lui ai proposé ces billets virtuels, elle a souri à la webcam, dit que Dublin serait romantique, et plus original qu'une soirée au resto. Plus économique aussi. On a partagé les frais. Chacun son billet électronique. Embarquement sur Low Cost et Cie. Et me voilà coincé dans les toilettes de ce 737.

Sortez-moi des toilettes ! Je suis en voyage de noces !

Mes cris agacent l'hôtesse qui trépigne d'impatience derrière la porte. Faites glisser le verrou, elle dit poliment. Je trouve pas le verrou. Y en a pas. Elle jure tous ses grands dieux que si, il y a un verrou, que l'avion est flambant neuf, le contrôle technique est positif, alors le verrou est forcément quelque part. Je n'ai qu'à bien regarder.

Je supplie. J'ai la nausée, je suis claustro, l'enfermement je ne supporte pas, sauf derrière un écran.

Un quart d'heure que je suis prisonnier de cette cage gris métal. J'aurais dû choisir la promo sur Marrakech. Partir avec une vraie blonde plutôt qu'avec la fausse rousse. On s'est réveillé à trois heures ce matin, 120 kilomètres de bus jusqu'à l'aéroport. Le jour n'était pas levé quand l'avion a décollé. Et mon estomac vide me filait la nausée. La rousse, ça allait, elle avait pris des inhibiteurs d'appétit, paraît qu'elle a trois kilos de trop. Elle mange pas. Ou du Low Fat et Cie. Mais est-ce ma faute si j'ai eu besoin de vomir ma faim aux toilettes ?

Ça chuchote derrière la porte. La chef de cabine donne son feu vert pour me sortir de là. Il m'en coûtera 99 centimes.

99 centimes ? J'ai déjà payé 1 euro de taxe pour le développement ! Je n'ai rien contre les sous-développés, il m'arrive même de partager mon sandwich avec le SDF qui habite en bas de chez moi, mais… faut pas exagérer. 99 centimes ?

Oui, 99 centimes. Cet avion n'est équipé que d'un seul cabinet de toilettes. Je l'ai bloqué. À cause de moi, tous les autres passagers ont perdu l'opportunité d'aller pisser. Cette perte d'opportunité sanitaire s'évalue, d'après des experts en comptabilité analytique, à 99 centimes. Est-ce que je paie en liquide ou par carte de crédit ?

Je tente une négociation. Rien à faire. Des spécialistes de la compression des coûts auraient calculé, au centime près, tous les frais avérés et potentiels. Ils auraient déterminé le moyen de leur éradication. La nomenclature de ces coûts est à ma disposition, elle peut me la glisser sous la porte, et je verrai : le coût d'opportunité sanitaire s'élève à 99 centimes. Il doit être supporté par le voyageur. C'est écrit noir sur blanc. Après tout, personne ne m'obligeait à m'enfermer aux toilettes. Low Cost et Cie n'est pas responsable de mon envie de vomir. Ni de mon incapacité à trouver le verrou. Ce verrou est aux normes. Ces toilettes sont aux normes. Cet avion aussi. Alors ça fera 99 centimes. Si je n'ai pas de cash, elle prend volontiers ma Carte bleue, avec un surcoût de 5 euros.

Mon estomac se révulse de rage. Mais je ricane de toutes mes dents, l'accablant : comment peut-elle appliquer si docilement les directives dictées par ceux qui l'exploitent ? Ma nausée se vomit dans le bac de récupération. Mes lèvres sales réclament un essuyage immédiat. Vite, du papier cul. J'effleure le rouleau… qui se dérobe sous mes doigts… mais elle… comment… peut-elle se laisser manipuler par des compresseurs de coûts qui la payent au lance-pierre ?

Son petit rire de gamine me chatouille les tympans. Exploitée ? Pas du tout. Mal payée, c'est vrai. Mais actionnaire. Papier cul… Où est passé le papier cul ? Oui, elle est actionnaire de Low Cost et Cie. Tous les ans, à Noël, le personnel navigant reçoit des actions gratuites, en proportion du mérite. Le mérite, c'est le fait de maximiser la réduction des coûts. Papier cul... évaporé ? Cinq ans, dit-elle, qu'elle contribue aux économies d'échelle, qu'elle traque les dépenses inutiles, qu'elle dénonce ceux qui ne participent pas. Le papier cul ! Je trouve plus le papier cul ! Il a disparu ! Actionnaire... Chasse aux sorcières dépensières... Thésauriser utile pour consommer utile... Soutenir le décollage des économies et des avions... sans papier cul ? Actionner... Éradication des coûts et participation du personnel. Participer à toutes les éradications. Collaborer aux dératisations. Dératiser à l'échelle planétaire. Madame, auriez-vous du... papier cul ? 99 centimes, dit-elle. En liquide ou par Carte bleue. Pas question de me faire crédit. Actionnaire participative. Participer au grand projet de société. Participons éradiquons dératisons collaborons. Ensemble, monsieur, tout devient possible. Sans papier cul ?

Je ne paierai pas. Elle peut bien me dénoncer... je préfère chercher ce verrou qui se défile, retrouver le papier cul... me libérer... de sa société... par mes propres moyens... tirer... tirer la... chasse d'eau ? Où est passée la chasse d'eau ?

AFP, 6 mai 2007, 20:10.
DISPARITIONS INEXPLIQUÉES
DANS L'ESPACE AÉRIEN

C'est un contrôleur aérien qui aurait, selon nos sources, constaté la disparition progressive des avions sur son écran radar. « C'était comme s'ils se dissolvaient », aurait-il affirmé. Selon les mêmes sources, on aurait entendu, dans les haut-parleurs de l'aéroport, les « derniers soupirs » d'un Boeing 737 : « Je maximise la réduction de mon coût », aurait expliqué ce Boeing avant de disparaître des écrans radars.

Aux familles qui auraient l'intention de réclamer des indemnités, les assurances Low Life et Cie ont fait savoir que leurs experts en actuariat demeuraient très réservés quant à l'opportunité d'une compensation financière.

Dernier ouvrage paru : *Cueillez-moi jolis Messieurs…*, Paris, Gallimard, 2007.

Pascal Bruckner

La nouvelle Ève

Jadis la bourgeoise et la putain se partageaient des rôles bien définis; à l'une le correct et le convenable, à l'autre le vulgaire et le voyant. Cette distinction désormais ne tient plus; la racoleuse peut être chic et stricte, et l'élégante dépenser des fortunes pour s'habiller en « dévergondée ». On voit ainsi depuis quelques années, de Rio à Bombay, de Malaga à Stockholm, d'honnêtes épouses, de grandes dames ou des jeunes filles bien sous tous rapports dévoiler leur anatomie, rehausser leurs seins et leurs fesses, laisser le string sortir du pantalon, bref se donner des allures de hardeuse avec un naturel désarmant. Triomphe mondial de la *pétasse*: avec ses attributs exposés jusqu'à l'outrance, celle-ci l'emporte au moment où le macho, soulignant ses emblèmes phalliques, décline. Le mot lui-même avec sa finale péjorative et scatologique témoigne de notre ambivalence à l'égard du phénomène: comme si un peu de la réprobation attachée aux prostituées s'était transféré sur leurs parodies mondaines. Nous leur en voulons de nous attirer à si peu de frais et pourtant nous ne pouvons détacher nos yeux de leur chair étalée.

Il est paradoxal que les femmes, ayant conquis leur indépendance, se constituent ainsi en objets purement érotiques. Le diktat de l'explicite signifie d'abord la fin de l'intimité : il s'agit d'afficher son pedigree libidinal en public. Comme si le pire ennemi aujourd'hui n'était pas le puritanisme mais l'anonymat, comme si les êtres étaient prêts à tout pour exister socialement : à se déshabiller moralement à la télévision, réellement dans la vie ordinaire. La sexualité a été moins libérée qu'intégrée aux normes d'évaluation des individus. Car, pour celle qui le porte, cet accoutrement signifie d'abord : je suis dans le coup, sur le chapitre des promesses érotiques vous ne me prendrez jamais en défaut. La pétasse conjoint les deux modèles de l'adolescente et de l'aguicheuse : jeunesse et expertise. Elle sous-entend prouesses d'alcôve, distribution de plaisir illimité. Il y a quelques années, un magazine féminin affichait en couverture : « Êtes-vous une salope ? » L'étonnement venait non seulement du titre racoleur, mais des réponses apportées par les rédactrices du journal en question : chacune revendiquait fièrement ce titre, se définissait comme la dernière des traînées, la reine des catins, la cochonne absolue. Il faut en convenir : le sexe est devenu le dernier snobisme, celui auquel chacun doit souscrire sous peine de mort sociale. L'internationale des pétasses a d'ailleurs ses icônes : Britney Spears, Paris Hilton, chipies dépoitraillées porteuses d'une sous-culture de la féminité agressive.

L'uniforme est évidemment trompeur et source de malentendus sans fin. On aurait tort de croire nos compagnes tombées soudain dans des fureurs de Messaline. De même que les femmes d'autrefois en crinoline, gaine et corset n'étaient pas si honnêtes qu'elles en avaient l'air, celles d'aujourd'hui harnachées, saucissonnées, siliconées ne sont pas si délurées qu'on le croit. L'impudique n'est pas toujours synonyme de fille facile, c'est un jeu avec les signes de la vulgarité. Il s'agit surtout de capter l'attention du prince Charmant : à tous ses atours Cendrillon rajoute la ficelle dans le derrière, le soutien-gorge pigeonnant, le débardeur au-dessus du nombril et le pantalon ultramoulant. Elle doit offrir par rapport à sa mère un atout supplémentaire : le savoir-faire amoureux, voire une science des jouissances infinie. Au moment où la loi punit sévèrement le harcèlement sexuel, la femme est sommée de se dénuder, de paraître affranchie. Et la bourgeoise s'habille en bimbo pour réaliser ce cocktail singulier : une cocotte éternellement jeune.

« Pouffiasse » : le mot viendrait des poufs en usage dans les harems de l'Empire ottoman. Avec son emphase mise sur le lourd, l'épais, le terme ne signifie évidemment pas le sexy mais son exagération, sa dégénérescence baroque à visée aguichante. Il y a de la bassesse dans cette séduction mais une bassesse délicieuse, affolante. N'est pas pétasse qui veut : il y faut un sens de la mise en scène, un talent dans l'indécence qui forcent le respect. Surexposition des dessous, gonflement des lèvres et de la poitrine, vocabulaire hardi, tenues affriolantes ne proclament qu'une chose : regardez-moi, remarquez-moi. L'honorable ménagère contrainte de se déguiser en traînée est d'abord une suiveuse soucieuse de combiner les signes vestimentaires en cours pour se faire valoir. Elle est le symbole et le martyr d'une époque qui a érigé le sexe en clé des comportements humains et veut tuer le sale petit secret pour le mettre en pleine lumière. Mais le secret résiste. Et la distance reste vertigineuse entre le discours de la libération proclamée et la réalité vécue.

La pétasse toutefois demeure une énigme : tellement aliénée aux normes en cours qu'on la soupçonne de rébellion. Tellement offerte, abandonnée, qu'elle en devient inaccessible. Elle annonce trop la couleur pour que le message ne soit pas brouillé. Sa surenchère dans la provocation ressemble à un pied de nez aux préjugés ambiants reconduits et désamorcés en même temps. Comme si elle se réappropriait les stéréotypes de la femme objet, de la bête sexuelle et les tournait en signe de puissance, non de soumission. « Vous me réduisez à mes organes génitaux ? Je m'y réduis moi-même mais avec une telle débauche d'effets, de parures, que vous ne reconnaîtrez plus vos fantasmes. » Elle joue avec les clichés et fait de son corps le théâtre où ces clichés fleurissent et dépérissent. Plus elle suit le conformisme ambiant, plus elle proteste en secret de sa singularité. L'indécent n'est pas moins énigmatique que le comme il faut. Calfeutrée ou déshabillée, la femme reste indécidable. Et si cette stratégie de l'excès était une certaine voie vers la liberté, une manière de superposer les masques, de multiplier les identités ?

Sous le string de la pétasse, il y a toujours un cœur qui bat.

Dernier ouvrage paru : *La Tyrannie de la pénitence : essai sur le masochisme en Occident*, Paris, Grasset, 2006.

Boris Cyrulnik

Le patch

J'ai commencé à fumer ma première cigarette avant de l'avoir achetée. Dans les années 1950, en me dirigeant vers le bureau de tabac, je m'apprêtais à intégrer le monde de ceux qui ont le droit de fumer : les grands ! Je me souviens de l'immense plaisir provoqué par cette idée, associé au déplaisir du goût de la fumée.

Quelques années plus tard, mes compagnons de rituel m'annonçaient avec fierté qu'ils ne pouvaient plus se passer de leur « cibiche ». À cette époque, on n'employait pas le mot « dépendance » et un syndicat d'instituteurs avait même revendiqué que les élèves aient le droit de fumer en classe.

Deux générations plus tard, le mythe ne tient plus le même discours : l'élégant geste du briquet qui allume la cigarette a changé de signification. Ce n'est plus un rituel d'accueil, c'est un acte de pollueur. On n'offre plus comme cadeau d'anniversaire la jolie boîte vernie du fumeur, on conseille le patch à la mode. La lutte contre la pollution banale devient un nouvel indicateur du mythe dont le patch est l'objet-témoin. Tout se passe comme si le rituel de passage de la première cigarette cédait la place au rituel de déliaison du patch. On était heureux quand on s'intoxiquait en groupe, alors que c'est pour moins souffrir du déplaisir du manque qu'on se pose un patch. Le poison nous euphorisait et la santé nous attriste. Nous fumions avec fierté notre première cigarette en public, alors que nous posons honteusement le patch qui nous isole. Le tabac racontait un discours de fière appartenance, alors que le timbre de nicotine murmure un triste désir de santé.

Dans de nombreuses cultures, le poison a participé à la création d'événements extatiques, alors que la santé organisait des existences d'eau tiède.

Faudra-t-il bientôt découvrir un nouveau toxique pour relancer un mythe d'appartenance ?

Dernier ouvrage paru : *De chair et d'âme*, Paris, Odile Jacob, 2006.

Charles Dantzig

Les séries télévisées

Qu'est-ce qu'une bonne série télévisée ? Une série télévisée qui n'est pas française. L'art à la télévision se trouve dans les séries britanniques ou américaines. (Mais pas les britanniques adaptées par les Américains. Les ravages de la bonne volonté sont actuellement illustrés par la guerre d'Irak et la version américaine de *The Office*.) Réticents à la satire sociale, les Américains mettent leur génie dans les séries d'aventures. Ils ont donné à *24 Heures* les plus mauvais acteurs et les plus ridicules dialogues qu'on puisse imaginer, mais la série est sauvée par l'inventivité des situations. « Jack-bauérien », du nom du héros, pourrait remplacer « rocambolesque », mot tiré de l'équivalent-séries au XIXe siècle, le roman-feuilleton. La devise de *24 Heures*, cette entreprise de propagande pour le Parti républicain, pourrait être : « patriotisme et torture ». Son contrepoison (et vice versa) s'appelle *À la Maison Blanche*, propagande pour le Parti démocrate. C'est une série sur le pouvoir et sur la politique où l'on ne rencontre jamais un salaud, un méchant ou un incapable. Au début de la guerre d'Irak, on y a fait du *french bashing*. C'est fini. Dans l'ultime épisode, vidant le bureau du président, les déménageurs sortent un livre des rayonnages, un seul, de qui ? Michel Foucault. La littérature sauvera la France plus sûrement que sa politique étrangère. La meilleure des séries, et de loin, c'est *Les Soprano*. Si *Le Parrain*, de Coppola, est un opéra par son exagération et son lyrisme, *Les Soprano*, qui raconte aussi l'histoire d'une famille de mafieux, est un roman par sa perspicacité psychologique et son point de vue personnel. On la regardera en DVD, trois ou quatre épisodes d'affilée, une nuit entière, sans avoir à être sifflé par une chaîne de télévision.

Dernier ouvrage paru : *Je m'appelle François*, Paris, Grasset, 2007.

Angie David

L'iPod

Ambivalent et très séduisant, l'iPod exprime une fonction sociale propre à l'époque : les adolescents qui le portent en permanence dans la rue, le bus ou même en cours disent leur rejet du contexte extérieur. Ils refusent d'être confrontés aux bruits du monde et préfèrent accompagner en musique les mouvements quotidiens – marcher et rêver. La sensibilité physique est accrue dans ce retour sur soi et l'esprit n'est jamais menacé d'ennui : c'est comme vivre dans une comédie musicale. Autour, rien ne peut vous approcher ou vous agresser, l'utilisateur d'iPod est dans une bulle, perdu dans ses pensées. Il a même parfois l'impression de voler, le mouvement s'accélère, la tête se redresse et le temps d'une promenade se superpose à celui d'un set électronique. Il avance à pas cadencé. La ville devient un décor de cinéma dont les passants ne sont que les figurants. L'iPod possède deux qualités contemporaines essentielles : la rapidité et la facilité. Un autre mode de relation – de communication – est alors possible : sur Internet, on partage les musiques grâce au *peer to peer*. Chacun met en ligne sa discographie et construit ainsi son identité culturelle. On est ce qu'on écoute. Les réseaux se forment à partir de goûts communs et spécifiques : les adeptes du rock garage des années 1960 (plus particulièrement celui entre 1965 et 1967) se reconnaissent, les fans du *mutant disco* de 1977 se connectent aux albums-blogs pour y chercher de véritables trésors, comme les puristes de la *house* émergeant à Chicago dès la fin des années 1980. En dehors d'Internet, il existe également une sociabilité directe – tangible – de l'iPod. À la manière des DJ, les participants d'une fête branchent leur lecteur mp3 pour passer une *play list* : une sélection personnelle de musique. Un des deux écouteurs coincé entre la joue et l'épaule, les yeux rivés sur la table de mixage, ils regardent les autres danser, réagir.

Le lien social se fait dans la coupure, dans une posture autistique. On se choisit selon des critères très précis : la communauté n'est plus universelle, mais sectorielle. L'appartenance à un groupe est déterminée par la culture des marques : derrière la nuque, seuls deux fils blancs dépassent. Image de la publicité où dansent des silhouettes noires – méconnaissables – devant des fonds aux couleurs vives : en surimpression, n'apparaît que l'iPod. Signe distinctif du label high-tech Apple : le blanc est la couleur de référence. Pur et lisse, l'iPod est une invention qui efface la trace du travail technique, humain. Le nouveau naturel interdit pourtant d'y faire attention, de le protéger au moyen d'un étui (même quand il est siglé Vuitton) : son origine ne doit pas apparaître. Il doit être patiné, signifier son usage, son vécu. Ce n'est pas un objet précieux, mais un indispensable. Sa composition est hétéroclite : en plus d'y intégrer l'ensemble de ses disques, il convient de télécharger (sur iTunes pour les légalistes) des chansons en vrac. Surtout des tubes – unique morceau intéressant sur certains albums – les plus kitsch possible. Il n'est pas question d'acheter le dernier EP de Justin Timberlake, mais télécharger *Sexy Back* est irrésistible. L'iPod est une chose sacrée – mythologique – même si son contenu est profane. Avec mon ordinateur, il est l'objet dont je suis le plus amoureuse. Je passe des heures à le remplir : seulement 1 973 morceaux à ce jour, soit 7 Go utilisés pour une capacité de 30 Go. Une fois arrivée dans la rue, je réalise que je l'ai oublié chez moi. Je remonte les escaliers à toute vitesse. Passer une journée sans mon iPod est désormais inconcevable. Se déplacer avec sa musique, pouvoir la partager sans se limiter à une sélection d'amis obligés de venir chez vous pour la découvrir. L'iPod vous contraint à dévoiler vos musiques les plus précieuses, les plus rares. Ambivalence là encore d'un objet qui est idéal pour les introvertis, mais les introvertis généreux de leur savoir. Collectionner de la musique est un geste souverain : la preuve d'une culture aussi vaste que pointue.

Dernier ouvrage paru : *Dominique Aury. La vie secrète de l'auteur d'*Histoire d'O, Paris, Léo Scheer, 2006.

Philippe Delerm

Le téléphone portable

Il n'y a plus de vie où il ne se passe rien. La preuve : nous avons un téléphone portable. Le vide de la boîte aux lettres, l'absence de courriel sont vécus dans la solitude, une mélancolie que nous avons du mal à travestir en soulagement. Qui est heureux ? Celui qui attend quelque chose, ou celui qui n'attend rien ? Le téléphone portable répond à notre place. Il installe l'urgence, sous le regard des autres. Bien sûr, il ne révèle pas la hiérarchie des messages, l'intensité de l'implication affective. Mais il fait de nous des répondants, présents, ou différés. Des attendants. Des espérants. Pas comme le combiné téléphonique dans le recueillement de soi à soi, le cercle d'une lampe basse. Mais en plein vol. En pleine rue. En plein wagon. On est prêt à dégainer. Que la sonnerie se déclenche en mode vibreur – il semble alors qu'il fasse partie du corps, on fait semblant de l'éloigner de la cuisse ou de la poitrine, mais c'est aussitôt pour le rapprocher, juste à l'oreille, le visage un peu penché –, ou bien qu'elle se module au faux hasard du sac – et dans la précipitation hypocritement dévolue au désir de ne pas déranger l'entourage se cache un manque compulsif, une fêlure de l'autonomie –, il est le maître.

On peut faire semblant de le dominer. On entend des mots comme ça: «Le mien est presque toujours fermé. Je reste parfois des heures sans l'allumer.» C'est vrai souvent, mais ce qui est étonnant, c'est cette insistance dans la voix, comme si on était certain de voir ce détachement mis en doute. Il y a une mauvaise conscience du téléphone portable, comme il y en a une de la télévision. D'ailleurs, comment le nier? La consultation épisodique de l'écran n'est pas vraiment olympienne. Le moindre indicatif, et l'on voit se focaliser une tension. Après tout, il y a des gens qu'on aime, et puis il y a des choses qu'on attend. On n'aurait pas l'idée de refuser cette double dépendance. Mais le téléphone portable les met à nu, et révèle avec une cruauté sommaire un mélange en nous d'avidité et de fragilité.

Un message, un texto. Et rien, parfois. Ce rien-là n'est pas un constat de béance, mais le début d'une attente. Parfois, il y a l'effraction. «T'es où?» «Où es-tu?» Les codes sociaux, la proximité amicale, sentimentale ou professionnelle de l'interlocuteur déclinent différemment cette interrogation métaphysique. Après avoir saisi l'autre dans son temps, on veut le capturer dans son espace. Il y a une anthropophagie du téléphone portable, mais ce désir de manger l'autre, de se rassasier de l'autre quelques secondes, cache une inquiétude plus sourde, inguérissable désormais. On dit: «On ne pourrait plus s'en passer», et c'est vrai.

Pourtant, tous ces rendez-vous amoureux lointains, salle des pas perdus, à la gare Saint-Lazare, on ne se souvient pas d'en avoir raté un seul… On dit : « C'est pratique. » On arrive à se convaincre, en détachant les charmes miniaturisés de cet engin que nous faisons jouer dans la paume d'une seule main, mais qui nous mène. Il invente à la fois notre angoisse et le pouvoir de la dissiper. Est-il si réconfortant de manifester la persistance d'un aveu ? Il va se passer quelque chose. Il doit.

Dernier ouvrage paru : *La Tranchée d'Arenberg et autres voluptés sportives*, Paris, Panama, 2007.

Jacques Drillon

Zidane

Si vous dites à un jeune Ivoirien que vous êtes français, il vous dit : « *Zidane.* » À un vieil Équatorien, il vous dit : « *Zidane.* » Et cela sur la planète entière. Il y a eu pourtant, dans l'histoire, d'autres footballeurs, de Pelé à Platini, qui se sont plus brillamment illustrés que lui. Mais Zidane a provoqué l'irruption d'une valeur nouvelle dans un monde qui en était totalement dépourvu : l'élégance. Au milieu des cogneurs et des brutes, il s'est imposé comme un danseur ; au milieu des prodigues, comme un économe ; au milieu des marqueurs, comme un passeur ; au milieu des vulgaires, comme un esthète. Il est monté sur le socle laissé vacant, ou presque, par les grands stylistes, ceux de la littérature, de la musique et de la peinture. On peut à bon droit en être indigné, et refuser à un footballeur le droit de se substituer à Shakespeare et à Beethoven. Mais qui se présente pour le faire à sa place – ou les y remettre ? En prouvant à des centaines de millions de gens que l'efficacité n'est pas tout, et que la beauté du geste, pourtant déterminé par son efficacité, pouvait la supplanter dans l'échelle des valeurs, il a fait l'essentiel. On se rappelle que Materazzi, qui eut l'honneur de recevoir le coup de tête le plus héroïque du siècle, le plus grec en somme, est surnommé le « Boucher ». Qu'un boucher bien de son temps eût été mis au tapis par un artiste anachronique, c'est ce qu'on ne pouvait espérer.

Dernier ouvrage paru : *Mort de Louis XIV, suivi d'autres transcriptions littéraires*, Chauvigny, L'Escampette, 2006.

Jean-Paul Dubois

Le sushi

Comment sommes-nous si vite passés des beurres noirs de Curnonsky à l'épure iodée des nigiris ? Des assiettes de charcuterie aux bouchées de makis ? De la viande de souche aux sachets de sushis ? Et de la frite au riz ? C'était comme, soudain, si ce pays n'avait plus eu faim. Comme si, après avoir tant mastiqué les entrailles du monde, il s'était abandonné, les mâchoires repues, aux langueurs de la diète, se contentant d'un filet d'algue, d'une noix d'amidon et d'un brin de phosphore. En 1957, Roland Barthes écrivait : « Manger le bifteck saignant représente donc à la fois une nature et une morale. [...] La frite est le signe alimentaire de la "francité". » Cinquante ans plus tard, le sushi signe la fin des haricots, l'abandon des huiles bouillantes et de la carne rougie au fer de la patrie. Hors du charnier natal, ce vieux pays erre donc désormais au gré de ses appétits rétrécis flairant distraitement les gamelles du monde. En ce moment la mode est au régime sec, à l'hygiénisme coronarien, au fildeférisme anodisé et à la flûte shakuhachi (instrument de 54,5 centimètres dont l'échelle de base est *ré, fa, sol, la, do*) assaisonnée d'un filet de feng shui. Et ce n'est donc pas un hasard si, au gré des recettes, l'on vous précisera toujours les bienfaits de cette nouvelle « jouvence de l'abbé Sushi » : les poissons, ici roulés, sont riches en oméga 3 (acides gras polyinsaturés), le riz regorge de vitamine B1, le gingembre et le vinaigre ont des vertus antiseptiques, le soja ruisselle de calcium tandis que le wasabi, dans sa virulence moutardière, prévient la formation des caries. Il n'en fallait pas davantage pour que cette terre de « francité », jadis infestée par la goutte, et aujourd'hui en proie au doute, succombe à la savante pharmacopée d'une ordonnance nippone ni mauvaise.

Dernier ouvrage paru : *Hommes entre eux*, Paris, L'Olivier, 2007.

Benoît Duteurtre

La *Star Academy*

Par la magie d'un « y », la *Star Academy* nous signale qu'elle n'est pas une *académie* poussiéreuse, mais une école d'un genre nouveau, où les vocables anglo-américains s'emploient sans traduction. La même lettre se retrouve d'ailleurs dans l'identité des participants qui se nomment Grégory plutôt que Grégoire, Jérémy plutôt que Jérémie, comme si le prénom choisi par leurs parents, vingt ans plus tôt, portait déjà une aspiration vers la *Starac* et son pays merveilleux.

Une autre indication figure dans le titre de ce concours télévisuel, où l'on vient moins pour devenir artiste (comme autrefois, au *Petit Conservatoire* de Mireille) que pour devenir *star*, tout simplement. Vers cet idéal conduisent des moyens variés : le chant, la danse, la comédie, son sourire ou même son handicap – peu importe le genre, pourvu qu'on prenne sa place dans le spectacle du petit écran. Mais, pour participer à ce karaoké hertzien, il importe surtout de répondre au format préétabli. La vedette d'autrefois se signalait plus souvent par son originalité, sa capacité à créer un style nouveau, même maladroitement à ses débuts (la voix frêle de Mireille ou de Françoise Hardy, le chevrotement de Julien Clerc). À la *Starac*, tout repose sur la reprise d'une gamme de modèles existants – chacun devant passer avec la même aisance du gospel à *Starmania* comme si la chanson était une histoire fermée, fondée sur le recyclage infini de refrains connus ; et comme si la star n'était qu'une imitation de star.

À la *Star Academy*, les contraires se rejoignent : le fabriqué prend l'apparence du spontané (l'émission est mise en scène, formatée, préparée par des castings – mais son déroulement semble fondé sur la spontanéité, le désir, le mérite individuel) ; l'exhibition prend l'apparence de l'intime (chaque geste se déroule sous le regard des caméras, et c'est encore devant l'objectif qu'on fait ses « confidences » aux millions de téléspectateurs). Entre les murs d'un château aux allures de pensionnat, sous la houlette de professeurs supposés compétents, le décor de l'émission entretient un climat infantile, comme pour nous rappeler que le succès est une rude et juste école où triomphent le professionnalisme et le talent... Mais, en réalité, chaque candidat doit se plier à la même pédagogie faite pour lui apprendre à mal chanter le français – cette langue complexe qui, jusqu'à Brassens et Gainsbourg, a toujours exigé d'abord de savoir « parler » en musique. Dans ce faux enseignement, au contraire, tout repose sur l'excès de lyrisme, de vibrato, de ports de voix – comme pour répandre sur la chanson un moule stéréotypé de variété internationale (à l'image du hideux *Notre-Dame de Paris* de Cocciante et Plamondon), et liquider une belle tradition, sous prétexte de la ranimer.

Mais, puisqu'il faut marier définitivement les contraires, les concurrents engagés dans cette lutte féroce pour la célébrité prennent parfois la main de leurs camarades pour chanter ensemble l'innocence et l'amour… tout en accroissant les parts de marché de leur employeur.

Derniers ouvrages parus : *La Cité heureuse*, Paris, Fayard, 2007 ; *Ma belle époque*, Paris, Bartillat, 2007.

Christine Fizscher

Les nouveaux amoureux

L'on marche dans un jardin public, pris par ses pensées, quand une image fait douter un instant des lieux : une fille à califourchon sur un garçon assis sur un banc se penche sur lui, jambes ouvertes de part et d'autre des siennes, oscille, se coule contre son torse. Non, ce ne sont que des adolescents et pas une séquence de film pornographique tournée en catimini. Trois cents mètres plus loin, la scène se reproduit. Signe des temps, la fille se trouve en posture de domination. On est assez loin des bassins soudés par un baiser sans fin qui faisait doucement trembler deux silhouettes fondues en une, néanmoins ces adolescents amoureux sont encore seuls entre eux et les yeux dans les yeux, pris dans un face-à-face jusque-là inédit.

Des amoureux, on disait qu'ils sont « seuls au monde » : c'était même là la plus belle et la plus complète de leur définition. En état de grâce. Eh bien, non seulement ils ne le sont plus mais ils ne tiennent pas vraiment à le rester.

Dans le métro en fin de matinée, assise avec un livre en format de poche. Face à moi un couple, entre vingt et vingt-cinq ans, se contorsionne dans diverses positions, douces et lascives, s'accompagnant de bruits de lèvres, et je ne leur ai jeté qu'un regard, le temps de comprendre qu'ils cherchent le mien. Obstinément. Ils appuient encore leur démonstration avec une intensité telle qu'on ne peut ignorer le courant érotique qui passe entre eux. La fille dégouline de douceur et d'amour. Nul moyen d'échapper aux ondes qui se répandent. Je m'accroche à mon livre, les yeux rivés dessus en dépit des virages de la rame, tandis qu'ils cherchent à déborder le cadre de mes pages, bien décidés à forcer mon attention que je continue à leur refuser, comble de ridicule pour moi comme pour eux. D'un air absent et même dégagé, je descends à ma station, pas mécontente d'avoir résisté à cette attraction. Qu'est-ce que cela veut dire ? Quelques semaines plus tôt j'avais assisté (ou participé ?) à la même chose, plus violente encore, sur une autre ligne, un soir où il n'y avait pas grand monde : la fille, bien roulée, portait une résille à larges mailles de laine sur le haut du corps, la moitié du ventre inévitablement dénudé, des cheveux ondulés et un jean noir. Le garçon lui caressait le torse qu'elle projetait vers l'avant, jouait avec ses boucles, l'offrait, les offrait tous deux aux yeux étrangers, ils auraient pu être dans un lit, cela ne faisait pas de différence sauf qu'ils étaient vêtus et je ne savais pas ce qu'on attendait de moi. Que je prenne l'air offusqué, complice, envieux et revêche, indulgent ou attendri ? Que je leur mette une paire de claques ou leur donne mon numéro de téléphone portable pour « plus si affinités » ?

Les amoureux « traditionnels » comme on le dirait de la baguette, il y en a encore, sécrètent autour d'eux un cocon de protection, une invisible mais perceptible aura émise par leur embrassement fusionnel, comme un îlot de douceur au milieu de l'agitation de la rue, de la ville, du monde ; faisant naître un sourire chez les passants, peut-être une pointe d'amertume ou d'anxiété dans les cœurs solitaires. Ou encore ils se cachent pour mettre leur trésor à l'abri des regards : sous « un p'tit coin d'parapluie », dans « un p'tit coin d'paradis... ».

Mais nos nouveaux amoureux se calquent sur tout ce que leur proposent, en vrac, la presse *people*, les films porno, la *Star Ac*, l'émission, parmi d'autres, *Bas les masques*, *Le Loft*, le port apparent, charmant mais quasi obligatoire, du string pour les filles, le porno chic de la publicité dans les magazines et sur les murs des villes. Leur mutuel désir et leur amour ne leur suffisent-ils plus pour se sentir vivre et même exister ? Non, pour se sentir exister, il faut passer par le regard des autres sous peine de disparaître à ses propres yeux. Les affects et les sensations ne les comblant pas, coupés d'eux-mêmes par le reflet qu'ils en offrent, comme s'ils n'étaient pas tout à fait construits, ils ressemblent aux nourrissons qui rencontrent leur premier miroir dans les yeux de leur mère. La frontière entre le publique et l'intime de la chambre à coucher à peu près gommée, il s'agit maintenant de rechercher et dans le même temps de nier l'autre, témoin acculé à la situation de voyeur, faisant de lui un jouet d'excitation.

On navigue dans une société résolument exhibitionniste qui indéfiniment se partage entre ceux qui se montrent et leurs voyeurs. Quoi de grave à ne prendre de plaisir, ou à n'en prendre plus, que si d'autres sont là pour en devenir les spectateurs ? Nulle innocence à ces jeux et pas forcément de cruauté, simplement le degré zéro de la perversité.

Fatal idéal sociétal : être amoureux à vingt ans aujourd'hui, c'est se faire une image au milieu d'un océan d'images vomies par toutes les bouches des médias, dont on ne voit pas la fin de l'empire – ni de l'emprise. Alors, que même la bulle enchantée où évoluaient les jeunes amants depuis des lustres ne soit plus épargnée, qui s'en étonnerait ?

Dernier ouvrage paru : *La nuit prend son temps*, Paris, Seuil, 2007.

Sophie Fontanel

Le Botox

Le Botox, ça, c'est quelque chose.

Si le mythe se joue sur la parole, est-ce que ça compte, l'encre coulée sur le Botox ? Est-ce que ça compte, tout ce qu'on dit dans le dos d'une personne botoxée ? Est-ce que ça compte, quand une star en est à préciser publiquement : « Je vous donne ma parole que je n'ai jamais fait de Botox, et de toute manière si je l'avais fait je ne vous le dirais pas. »

Ah oui, c'est quelque chose. Quelque chose de si spécial que presque personne ne peut dire à quoi ça ressemble. Pour le symboliser, il faut montrer une seringue. Montrer le contenant. Et si ce contenant ne suffit pas, si on veut plus probant, il faut montrer un autre contenant : le visage d'une personne « avec Botox ».

Au fond, aujourd'hui, pour tout un chacun, le Botox ressemble à un visage comblé.

Comme on dirait, ou pas : « Oh moi, je suis comblée. »

Cette substance devrait pouvoir être décrite en tant que telle. Elle l'a été, au début, quand on parlait de toxine botulique, l'un des poisons les plus puissants au monde, pour expliquer l'origine du produit. Puis très vite, si vite, ça a arrangé tout le monde de passer discrètement sur cette histoire de poison. D'autant que les doses sont très faibles. Et si on va chercher par là, du poison il y en a dans tout, même dans l'amour.

On a préféré se concentrer sur les effets du Botox. Le Botox paralyse le muscle dans lequel il est injecté. En empêchant le muscle de réagir, il empêche le visage de se rider. Ça ne bouge plus. Et le temps s'arrête.

C'est-à-dire, le temps continue, mais nous on peut continuer comme si le temps ne continuait pas.

Qu'est-ce que c'est le temps sur un visage ? Le Botox ne peut pas répondre à l'infini induit par cette question, mais tout de même il apporte trois réponses.

Par exemple, ce que sourire fait sur ce visage, là, autour de la bouche. Eh bien, c'est du ressort du Botox.

Par exemple, ce que réfléchir fait sur ce visage, entre les yeux. Ressort du Botox.

Par exemple, ce que s'étonner fait sur ce visage, là, sur le front. Ressort du Botox.

Ces trois points si bien ciblés font la renommée du produit sensationnel, tout le monde sait aujourd'hui à quoi ça touche, au point qu'il suffit de fixer cet endroit sur le visage de quelqu'un pour savoir tout de suite si cette personne a recours à la toxine botulique. Si oui, on sait aussi beaucoup d'autres choses sur elle, sur sa peur de vieillir, et sur son degré de panique devant son image. On peut aussi immédiatement déduire que cette personne n'est certainement pas aussi jeune qu'elle en a l'air.

Et on se met à penser à l'âge de cette personne. On cherche à le deviner, on le devine.

Le Botox, c'est quelque chose qui attire l'attention sur l'âge. C'est l'aveu de la terreur. C'est ce qui le rend touchant. S'il n'avait pas cet enrichissement en affects, il serait irrecevable.

C'est le produit pour abuser les hommes et qui ne les abuse que si vous êtes jeune.

Ça aussi c'est bouleversant, et puis juste après les bras vous en tombent.

Cette pratique a beau être aussi moderne que le téléchargement, elle n'est pas gratuite. Il y a un droit d'auteur. L'auteur de ce nouveau visage que je vais avoir est le Botox lui-même. Le Botox en personne, on pourrait dire. Tous les visages après ça ont tendance à se ressembler. On ressemble enfin à Faye Dunaway. Ça fait au moins un repère, quand on perd le principal, celui de « sa tronche ». Que ce soit déstabilisant, peut-être. Dans un lifting, on essaie de se refaire, comme au jeu. Avec le Botox, on se découvre. On ne retrouve pas sa jeunesse perdue. Le visage qu'on prend n'est pas l'ancien d'avant les rides, mais un autre, insolite, auquel on fait semblant de s'habituer parce que ce serait une épouvante d'être étranger à soi-même. La femme scrute son visage renfloué dans le miroir. Si elle est seule et que personne ne la regarde, elle peut se poser la question : est-ce que c'est bien, ce que j'ai fait ? Est-ce que c'est réussi et qu'est-ce que j'ai détruit, et qui suis-je ? Elle sait que personne ne détient des réponses à ces questions et d'ailleurs les pose peu aux autres.

Ce nouveau visage, on espère qu'il tiendra ses promesses. Dans notre dos, les gens disent : « Ah ben, ça promet ! »

« Elle est pleine de Botox. » Cette phrase.

Une femme qui n'avait plus la mesure de rien, trois ans d'injections, elle me disait : « Grâce à Dieu, sur moi ça ne se voit pas. »

Le paradoxe de cette idée. Faire quelque chose pour que ça ne se voie pas. Ne pas voir que ça se voit et espérer quand même que ça se voit un petit peu étant donné le prix que ça a coûté.

Pourquoi les gens font ça ?

Pour ne pas mourir de la honte de vieillir.

Quelqu'un m'a dit : « Moi, si je le fais, c'est par respect envers les autres. » Comme on dirait : « Je sais me tenir. » Le visage de Simone Veil, par exemple, qui est vide de Botox, ne serait donc pas un visage respectueux ? Elle se « ficherait du monde », Simone Veil ? Ce qui est si étrange avec ces femmes qui ne veulent pas vieillir, c'est qu'elles se privent de l'autorité que donnent les rides, de la liberté qu'elles procurent. On ne peut se figurer Marguerite Yourcenar gonflée de Botox.

Et pourtant ?

Le Botox, au fond, si ça marchait, si ce n'était pas ces têtes de grenouilles généralisées, tout le monde le ferait. Si c'était vraiment un produit miracle, si on circulait dans une brume et en ressortait un rien plus jeune, avec la mort un rien plus loin, la mort au bout pour rester philosophe et humain mais en douceur, oui, tout le monde le ferait. Si notre jeunesse, celle qu'on a au fond de nous, pouvait comme ça remonter à la surface et que ce ne soit pas seulement candeur du regard mais aussi de l'épiderme, on le ferait tous. On ne le fait pas (celles et ceux qui ne le font pas) tout simplement parce que, pour le moment, ça ne marche pas. Ce n'est pas gênant que ce soit un mythe moderne, non, ce qui est embêtant, c'est que ce soit raté.

Dernier ouvrage paru : *Sublime amour*, Paris, Robert Laffont, 2005.

François Forestier

Le commerce équitable

La moralité du tiroir-caisse est une idée à la mode : se dire que les Svanes du Caucase ou les Yanomami du Brésil touchent quelques centimes d'euro en plus pour leurs colliers de griffes de loir ou leurs galettes de pépins de raisin est réconfortant. Le café, le chocolat, le rhum, le thé, la confiture de goyave, le jus de clémentine ou les cure-dents en balsa ont leur place désignée dans les hypermarchés, avec garantie de moindres frais : on a supprimé les intermédiaires, les fameux intermédiaires qui, depuis la nuit des temps, grugent le client, volent le fournisseur, trompent les assurances, sous-paient les convoyeurs et, dans l'ombre, se frottent les mains. Entre les frites surgelées et la soupe au litre, désormais on trouve un rayon « commerce équitable », qui rassure les groupies de Nicolas Hulot, les sectateurs antimondialisation, les chaisières de Saint-Nicolas-du-Chardonnet et les bonnes âmes. Ainsi le politiquement correct s'est-il fait une place dans nos assiettes : entre le bœuf label France et le café garanti guarani, le grand écart est déchirant. Faut-il mastiquer français ou déglutir équitable ? Aider les éleveurs bretons ou les agriculteurs du Mato Grosso ? L'Occidental est écartelé entre sa conscience et sa raison. Là-bas, le tiers-monde attend, gronde, menace, prépare un tsunami révolutionnaire. Le commerce équitable est le Valium des jacqueries. Mais, à la réflexion, n'est-ce pas une contradiction dans les termes ? Équitable, le commerce ? Allons donc !

Dernier ouvrage paru : *Howard Hughes, l'homme aux secrets*, Paris, Michel Lafon, 2005.

Thierry Gandillot

La nouvelle chanson française

La nouvelle chanson française – « NCF » – n'en finit pas de protester, en vain, de son inexistence. Mais un peu à la façon du sparadrap intempestif du capitaine Haddock, qui circule de passager en passager au cours du vol Cointrin-Szohôd (*L'Affaire Tournesol*), chacun des chanteurs labellisés « NCF » cherche à se débarrasser au plus vite de l'encombrante étiquette. Rejet fort compréhensible si l'on admet qu'un artiste se définit avant tout par sa singularité et refuse de rejoindre la cohorte, fût-elle précédée du panneau : « Attention, nouveau ! » Et pourtant, rien ne semble pouvoir s'opposer à la force du concept. Et la « NCF », pas plus que la nouvelle cuisine, la nouvelle vague, les nouveaux philosophes, le nouveau roman ou la NRF, ne parvient à échapper à la catégorisation. Quand bien même il s'agirait de réfuter un concept façonné par le marketing et la publicité, l'artiste ou le critique sont sommés de se positionner par rapport à l'affirmation de son existence.

S'il reste impossible de retracer l'archéologie de cette

expression, vraisemblablement forgée au fil de talk-shows nocturnes ou de cérémonies télévisées d'autocélébration de la profession, force est d'admettre sa puissance d'évocation. Il se serait donc passé quelque chose de neuf dans la chanson française – proposition qui demande à être mesurée à l'aune de la fameuse assertion selon laquelle « on fait toujours du neuf avec du vieux ».

Personne ne conteste l'idée qu'il y eut en France une nouvelle cuisine en rupture avec la cuisine bourgeoise traditionnelle dont le mot d'ordre fut l'allègement des modes de cuisson et des préparations, le bannissement des sauces, le retour à l'authenticité des produits ou le brassage intuitif des saveurs. Pour autant, ce socle commun n'empêche pas l'émergence de personnalités – Jacques Maximin, Joël Robuchon, Bernard Loiseau, pour les pionniers ; Pierre Gagnaire, Marc Veyrat ou Thierry Marx, pour les contemporains. On pourrait même avancer l'idée qu'il l'a favorisée.

Personne ne nie la réalité d'une nouvelle vague cinématographique, mais quoi de commun entre Jean-Luc Godard, Claude Chabrol ou Éric Rohmer, sinon leur volonté commune de casser les codes ? Entre Nathalie Sarraute, Claude Simon ou Alain Robbe-Grillet, sinon leur refus de la narration classique ? Entre Bernard-Henri Lévy, André Glucksmann ou Christian Jambet, sinon le défrichage de champs de questionnements jusque-là délaissés par la philosophie ?

Quoi de commun, donc, aujourd'hui, entre M, Clarika,

Thomas Fersen, Camille, Carla Bruni, Sanseverino, Pauline Croze, Bénabar, Vincent Delerm, Daphné, Anaïs, Cali, Tété, Camille Bazbaz, Benjamin Biolay, Jeanne Cherhal, Émilie Simon, Coralie Clément, Alexandra Roos, Myrtille, Dominique A., Miossec, Keren Ann, Emily Loizeau, Zoé, Françoiz Breut, Mathieu Boogaerts, Philippe Katerine, Albin de la Simone, Ours, JP Nataf? L'accumulation des noms donne force à l'idée de l'existence d'un groupe constitué mais porte en elle-même l'anéantissement de la question. Les divergences dans les univers, les sons, les démarches, les postures, les textes, sont plus nombreuses que les convergences. Mais les convergences, parfois, existent.

Le « nouveau chanteur » cultive l'art d'être modeste, refuse la pop mondialisée, les prouesses vocales et les arrangements imposés par les standards du *prime time*. Ce sont des artisans minimalistes qui dégustent la vie à petites gorgées, débusquent la poésie au fond d'un gobelet en plastique ou au détour d'une bretelle d'autoroute, fouillent les sacs des filles, ont des émois d'adolescents, se souviennent de la fille moche du lycée, revisitent le musée de leur jeunesse évanouie, s'exaspèrent des « ex, même sexy », tremblent en feuilletant un Modiano défraîchi ou en écoutant un vieux Frank Black, rêvent des garçons dans les vestiaires, s'émeuvent à l'évocation du linge qui déborde du panier de la salle de bains. « Il n'y a plus de lait dans le frigo » peut fournir un bon sujet de chanson. Ou bien : « Tu t'es encore servi de ma brosse à dents / Tu sais bien que la mienne, c'est la rouge.» Ou encore: «Pourquoi tu laisses toujours le réservoir de la Mégane vide?»

Ces éclats sans éclat du quotidien sont servis par des arrangements minimalistes où la guitare règne en maîtresse – manouche, jazz, folk ou blues. La batterie, quand elle est invitée, s'oblige à la discrétion, caisse claire et balais feutrés tout au plus. Le banjo, le piano, l'accordéon, l'orgue, l'harmonica, les violons, violoncelles et contrebasses se voient offrir une seconde jeunesse. Comme les chefs de la nouvelle cuisine, la «NCF» allège les préparations, bannit le gras, revient à l'authenticité des produits et brasse les univers poétiques.

Est-ce assez pour prétendre à cette rupture qui justifierait l'étiquette «NCF» et fonderait la cohérence du groupe? Au jeu des filiations, on peut toujours s'amuser à tracer une portée qui irait de Trenet à Higelin pour atterrir non loin de Bénabar. Ou de Françoise Hardy à Keren Ann et Carla Bruni. Ou de Souchon à Delerm. Mais que serait Ducasse sans le génial Carême, l'inventeur du «beau maigre»?

L'humour, la distanciation, l'autodérision en étendard, la «NCF» s'avance, dispersée mais soudée, multiple et une, hors des sentiers balisés de la promotion, du matraquage des chaînes et des *business plan* des maisons de disques. Comme un rhizome, elle développe son labyrinthe souterrain, fouille, creuse, déplace, investit le territoire privé des majors et subvertit les codes marketing. Elle est partout et nulle part. Insaisissable, elle apparaît soudain pour disparaître aussitôt. De guerre lasse, elle finit par concéder : « Va pour la nouvelle chanson française, mais le show-biz, non merci, vraiment pas » (Jeanne Cherhal). C'est peut-être cela l'idée neuve portée par la « NCF ».

Dernier ouvrage paru : *Les Locataires*, Paris, Robert Laffont, 2003.

Jérôme Garcin

Le corps nu d'Emmanuelle Béart

Et Dieu créa la femme de trente-sept ans. Elle est éclatante de grâce naturelle, émouvante d'abandon, fière de sa taille fine et de ses formes girondes, indifférente aux canons d'une mode asthénique et grêle, naïade callipyge plongée jusqu'au haut des cuisses dans l'eau turquoise de l'océan Indien.

Photographiée de trois quarts dos comme à son insu, le regard tourné vers l'horizon, les cheveux ceints avec son propre string noir, l'estivante du sans souci offre au soleil du petit matin son visage pointu de chat persan, son épaule tapissée d'éphélides, et un sein, ô ce sein, lourd et ferme à la fois, dont on voit le mamelon rose brun durci par l'excitation de l'air salé. À la mer, elle confie ses fesses auxquelles l'exquise cambrure du dos ajoute une rondeur de Vénus hottentote. On a l'impression qu'elle s'apprête à faire l'amour avec les éléments. Ce jour-là, on eût voulu être Éole et Poséidon. Le 5 mai 2003, Emmanuelle Béart fait la une de *Elle* pour un « Spécial beauté » et son corps nu se multiplie, grandeur nature, sur tous les dos de kiosque. Record de vente historique : jamais autant d'hommes n'ont acheté l'hebdo féminin, lequel bouleverse soudain ses lois tacites.

Car en lieu et place des mannequins giacomettiens de vingt ans et des lolitas transparentes, Valérie Toranian, la directrice de la rédaction, a choisi de célébrer une femme mûre, mère juvénile de deux enfants, et l'actrice décomplexée de *La Belle Noiseuse*. Photographiée à l'île Maurice, sans maquillage ni retouches, Emmanuelle Béart, 1,67 mètre, 50 kilos, évoque la sauvage Deborah Kerr, la pulpeuse Brigitte Bardot mais aussi la vacancière ordinaire. L'image tient du légendaire et du coutumier, du sacré en même temps que du profane. Avec la belle Emmanuelle, cette indigène blanche, l'amour devient naturel, l'érotisme innocent et la chair, comestible. Personne n'a honte de la désirer, puisqu'elle semble si heureuse d'être désirable. Cet été-là, on a vu beaucoup de strings retenir les cheveux mouillés des femmes.

Dernier livre paru : *Les Sœurs de Prague*, Paris, Gallimard, 2007.

Bernard Géniès

Les tentes rouges des SDF

Au commencement était l'apache. Dans les rues de Paris, il était jadis celui qui semait l'effroi. Comme ces Indiens auxquels il devait son nom, ce mauvais garçon était réputé dangereux et rusé. Les apaches sont revenus. Plantant leurs tipis rouges sur les rives du canal Saint-Martin et dans plusieurs autres villes de France. Certes leurs mœurs ont changé, tout comme le nom de leur tribu. On ne dit plus apache. On dit SDF. S'ils n'étripent plus le bourgeois, ces nomades de l'ère numérique sèment l'effroi sur les écrans plats. La tribu des Costumes Gris s'est penchée sur leur sort. La tribu des Costumes Gris aime palabrer : ses ministres ont parlé relogement, réinsertion sociale. Puis ils sont repartis. Le clan des « bien-logés » est venu à son tour rendre visite aux « mal-logés », certains n'hésitant pas à passer la nuit sous l'un de ces tipis, comme cette squaw accompagnée de ses deux papooses qui n'hésita pas à prendre la pose devant l'un de ces fragiles abris, déclarant que son plus jeune rejeton, saisi par le froid, avait vomi à trois reprises durant la nuit.

La danse des caméras et les palabres des Grands Esprits n'y ont rien changé. Les tipis n'ont pas disparu. D'ailleurs, de nouveaux campements ont surgi dans d'autres quartiers. Ainsi la tente, longtemps symbole des loisirs, du camping à la ferme ou en bord de mer, est-elle redevenue une habitation qui échappe à toutes les normes. Curieux paradoxe : dans un monde obsédé par la propreté, la santé, la prospérité, les tipis rouges jaillissent comme des pustules, mauvaise conscience d'un grand corps (social) malade.

Dernier ouvrage paru : *Gauguin, le rêveur de Tahiti*, Paris, Fayard, 2003.

Alix Girod de l'Ain

La capsule Nespresso

Elle est petite mais riche à millions, elle est ronde mais légère, elle a des tas de robes qui brillent, tout le monde en est fou : Jennifer Lopez ? Non, la capsule Nespresso. Sous ses quelques grammes de métal se cache le plus beau hold-up de l'histoire du marketing. Avant, le café, c'était un truc pas très cher (paquet familial), raisonnablement écolo (le gringo en chemise de lin), sympatoche (les lancers de petites cuillères des potes Maxwell), facile à faire (un bout de Sopalin dans un entonnoir et zou), moderne en un mot. La Nespresso, c'est exactement le contraire : une monodose égoïste, jetable et non recyclable, résolument « clientèle captive » (compatibilité avec les autres machines ? nulle), hors de prix (31 centimes d'euro, soit 2 francs pour les croulants de plus de six ans), martelée dans des pubs crispantes (seul Nespresso aura donc réussi à nous lasser de George Clooney), un concept tellement droite libérale qu'il pourrait à lui seul expliquer l'effacement de Madelin, terrassé de ne pas l'avoir inventé lui-même. Et pourtant,

pourtant, parmi les dizaines de milliers à faire la queue devant un des rares revendeurs de la capitale, leur numéro de membre à la main, à marmonner « L'Arpeggio, c'est la violette ou la bleue déjà ? », combien de lecteurs de *L'Obs* ou de *Télérama* ? Ici, le signifiant rejoint le signifié : cherté du produit, addiction maximale, difficulté de l'approvisionnement, c'est clair, c'est de la drogue légale. Mais quand, de retour de chez le dealer, oups, de la boutique-club, je glisse une capsule de Capriccio dans mon perco, ma doxa frétille de joie ; c'est bon-bon de se savoir bobo.

Dernier ouvrage paru : *Sainte Futile*, Paris, Anne Carrière, 2006.

Patrick Grainville

Le voile

Le voile impulse immédiatement la hantise et le tourment des choses cachées. Autour de lui rôde l'arôme d'un secret et de son dévoilement. Le voile qui prétend clore le corps, abolir le regard et glacer le désir ne fait que déclencher sa dynamique et sa question. La connaissance est traversée des apparences. Elle soulève les oripeaux, les leurres. Elle découvre… Ainsi, le voile théâtralise le corps de la femme en le cachant. Il désigne, signale ce qui vaut d'être vu. Les coulisses sont toujours l'attente d'une apparition dans la lumière. Le corps sanctuarisé, devenu temple, cella, appelle le respect, le culte mais aussi, son contraire, les délices de la convoitise et de la profanation : tombeaux violés, trésors pillés… Le voile exhibe l'idée de l'or qu'il couve, l'or de la chair nue. Il confirme ce qu'il confine ! Il totémise la beauté interdite. C'est l'inverse du but officiellement visé.

Sous le voile, c'est la chevelure qui s'embusque, sa luxuriance sauvage. Le corps déchaîne l'indomptable crinière qui croît, s'ourle, se répand autour des seins, battant les deux joyaux des fesses. Le voile enferme la bête fauve, garrotte les pulsions de ce monstre remuant de reflets et qui regorge d'odeurs et de péchés profonds. L'œil, les narines, les mains n'aspirent qu'à plonger dans l'océan bruissant. La chevelure est, bien sûr, l'équivalent métonymique de la forêt pubienne. Même jaillissement ébouriffé, boucles, danse bachique, effluves sans frein, fête d'écumes et d'éclats, épis lubriques, vrilles en vrac. Le voile n'est qu'un cache-sexe métaphorisé. Opaque, il se plaque sur ce rayonnement vivant de la tentation et de la belle nuit des corps obscènes. Il voile le vacarme noir et merveilleux de l'amour. Le verrou de la pudeur est à ce prix. Du coup le voile sera le levier du voyeur. Il commande la dramaturgie du désir, de son mouvement, de ses phases. Le strip-tease, à cet égard, a calculé le programme à la perfection. Il capte et conduit le regard à travers les étapes graduées, les détours de l'effeuillage. Entièrement nue, la danseuse quitte la scène, illico. Elle s'éclipse. Avant que l'œil ne soit déçu. Car l'objet du désir est infini. L'œil n'en saisit jamais qu'un miroitement de métaphores et de leurres. Lui montrer tout, c'est lui prouver l'ampleur de son manque et rouvrir le dédale de sa quête. La pornographie tente de prolonger les rebondissements au-delà de toutes limites. Corps béant, scruté jusqu'au fond des orifices, comme si, là encore, quelque chose se dérobait, dans l'organique et ses replis voilés. La pornographie, alors, a partie liée avec l'amertume et le meurtre : déchirer le voile, percer le secret.

Le débat tapageur sur le voile religieux, tout armé de harangues et de bannières, nous renvoie à deux mythologies étrangères l'une à l'autre. Le maintien du port favorise l'hystérie spectaculaire. Le voile rehausse ce qu'il vêt. Le voile montre ! Tel est le caractère épique du voile, sa secrète invitation à l'effraction, à la razzia, à la servitude et à leur perversion, son caractère initiatique et romanesque aussi : la vraie beauté sera toujours cachée, réservée aux élus, aux maîtres, aux patriarches, aux héros, aux ravisseurs sagaces. En revanche, l'interdit de porter le voile nous fait entrer dans l'ère de la transparence démocratique et sanitaire. Car ce qui est caché macère dans le relent sulfureux du secret. L'identité des visages sera donc mécaniquement attestée, exposée sans rituel qui nous aimante ou nous galvanise. C'est la république laïque des corps égalitaires. Les femmes y respirent davantage et font tranquillement face à leur destin.

Le fantasme du voile est surtout l'obsession des hommes. Que cherchent-ils, tout frémissants, sous le drapé du masque et son pan de mystère et de tabou ? Quel improbable objet ? Quelle idole ? Quel fétiche ? Quel déni de la castration encore les anime ? Après tout, la danse de Salomé et des sept voiles accouche d'un cou coupé. La question du voile les renvoie à leur grande angoisse originelle. Voir ou ne pas voir ? Tant leur aventure phallique et vitale est tributaire du visible sous le voile.

Dernier ouvrage paru : *La Main blessée*, Paris, Seuil, 2006.

Didier Jacob

Le SMS

C'est la première fois qu'une langue se passe des mots les plus simples. Ainsi l'homme, par le moyen de la technologie, retourne à l'homme, c'est-à-dire à la bête, pour expliquer qu'il est à la station Maubert-Mutualité, ou qu'il a « rv dans 5 mn et kil rapl apré ». Le serpent se mord la queue, le techno-individu rejoint Monsieur de Cro-Magnon, qui ne disposait pas non plus d'une grammaire approfondie dans ses affaires de tous les jours. À l'inverse du télégramme, son lointain cousin, qui supposait des distances pharaoniques – et qui évoquait, dans un collage de mots déjà tout poétique, les banquettes en cuir de l'*Orient-Express* ou bien, mollement allongée dans les draps en satin de sa couchette première, Greta Garbo faisant route vers New York à bord du paquebot *France* –, le SMS voyage peu. Cette parole veut de l'efficacité, se nourrit d'immédiat pur. C'est du français qui parle au Français d'à côté. Quant à sa grammaire : nada.

Cette pensée ne s'étend pas. « Jtm » plutôt que « Vos beaux yeux, marquise, me font mourir d'amour ». On vit la fin des pudeurs, des timidités. On veut de l'action pour ce soir. Imagine-t-on Proust s'acharnant sur son Nokia pour réduire, dans le modeste écran où tout doit tenir, les longs paragraphes à subrelatives qui ont fait le charme suranné, décidément d'hier, de ses romans sans fin possible ? Un message d'alerte, à chaque phrase, stipulerait que son envoi requiert la tarification d'au moins deux SMS. Mais ni Proust, ni Tolstoï, ni même Beckett (plus laconique cependant, et donc mieux adapté, sous le regard de la brièveté, au techno-langage) n'ont, Dieu merci, connu ces appareils, ni eu à se servir de ce mode de communication. Est-ce un hasard, au fait ?

Denis Jeambar

La pensée unique

Ce que respecte le plus au monde notre société, c'est le conformisme. Plus l'individualisme prospère, plus il fabrique de l'uniformité. Comme si chacun redoutait de se retrouver seul en cultivant sa singularité. La liberté semble devenue un fardeau trop lourd à porter pour la majorité des êtres. Ils la brandissent haut et fort mais vivent dans l'obsession de la reconnaissance et de l'assimilation. Tout devient code et rituel. Le culte de la différence a pour corollaire une peur bleue de la quarantaine sociale.

Même la transgression a besoin d'avoir un label : on se veut autre tout en étant accepté par la collectivité. L'esprit de révolte est mort, recouvert par la chape d'un nouvel esprit petit-bourgeois : on ne pense pas, on prend des postures. Cette dérive normative imprègne notre vie matérielle et intellectuelle.

Illustration commerciale : le triomphe des marques. Filles du marketing, elles sont l'instrument-clé de la consommation mondialisée. La planète vit au rythme des études de marché qui captent nos désirs communs et nous les offrent dans une noria de produits à vie courte : on se veut moderne, on se croit unique, en fait on marche au pas. Heureux godillot car on se rassure dans le regard des autres qui nous renvoient leur approbation panurgique. La marque, c'est le plaisir d'être à la fois différent et normalisé.

Il en va de même pour les idées : l'apparence y est la diversité ; sur le fond, la règle est l'uniformité. La pensée unique, carburant de l'identité à bas prix, du sommeil intellectuel et du faux courage, lessive le libre arbitre et la dissidence. Elle trouve sa force dans la paresse née de grandes idéologies. Dans un monde TGV, bouleversé par la mondialisation, la France a choisi l'immobilisme de la pensée unique. Pour exister sans se remettre en cause, elle utilise des paradoxes irritants qui sont autant de pétards mouillés : l'alternance devient une parodie du pluralisme, le « droit-de-l'hommisme » une dérobade géopolitique, la démocratie d'opinion un cimetière de la raison, etc. Sur tous les terrains – politique, diplomatique, culturel, social –, la pensée unique se décrète différente mais elle rabâche sans cesse de vieilles lunes. Elle ne se nourrit pas du réel ausculté mais du bon sens proclamé et de l'intérêt bien compris. En soi, elle est profondément égocentrique puisqu'elle ne pense pas l'autre : elle se construit sur le pré carré du nationalisme le plus étroit, dans l'arrogance d'un pays sûr d'avoir toujours raison. L'échec du référendum sur la Constitution européenne est l'un de ses fruits gâtés : la prétention des tenants mandarinisés du « oui » a déclenché une révolte du peuple dans les urnes dont les conséquences sont catastrophiques pour l'Europe. Le pire est que le « non » est devenu, à son tour, un objet de fierté, un signe de l'exception française, produit sans doute le plus avarié d'un esprit français calcifié.

La pensée unique, c'est la certitude en action et la négation de la réflexion : elle fonctionne à rebours et part des conclusions souhaitées ou condamnées pour fabriquer ses argumentaires. C'est avant tout une usine à produire de la torpeur afin de protéger les situations acquises. Pour parvenir à ses fins, elle utilise toutes les ficelles du conservatisme, notamment la morale mise à toutes les sauces, la prétention de détenir la vérité et le recours à la diabolisation.

Alimentée par les petits marquis de la vie publique, la pensée unique est une censure de l'esprit qui déprécie la connaissance, la vraie, parce qu'elle impose des postulats à œillères et récuse la force des preuves et des faits. Comme les marques, elle invite chacun à s'évader dans le paradis artificiel d'un narcissisme qui fait consensus. Elle nourrit le culte de soi dans un faux vivre ensemble dont la caricature est ces salons médiatiques où l'on se disputaille tout en se renvoyant l'ascenseur. Comme les marques encore, la pensée unique signe la victoire de l'esprit de monopole au sein d'une société prisonnière de dictateurs à penser et à vendre qui ont pris le contrôle de la théâtralité publique et de la machine à désirs.

Dernier ouvrage paru : *Nos enfants nous haïront* (avec Jacqueline Remy), Paris, Seuil, 2006.

Laurent Joffrin

Le 21 avril 2002

C'est un spectre à deux têtes: l'une blonde et léonine, l'autre austère et frisée. Ce double visage, celui de Jean-Marie Le Pen et celui de Lionel Jospin, a dominé la vie politique française pendant cinq ans: c'est le spectre du 21 avril.

Il a fallu, pour marquer la mémoire, trois scènes fondatrices, fixées ensuite comme des images de pierre sur un monument qu'on aurait érigé à l'impuissance civique. Jospin au pied d'un escalier, informé brutalement de son malheur et qui fait de la main le geste de celui qui n'y peut plus rien, écœuré par l'inconstance de ses partisans; les militants socialistes frappés au cœur, dont le visage se détourne, incapables de supporter le spectacle de ces chiffres effrayants; Chirac enfin, éberlué et grave, inquiet pour son pays mais jubilant d'être président avant même que les électeurs ne le désignent. Trois souvenirs douloureux qui étendent leur ombre sur tout un quinquennat.

Porté à l'Élysée après un premier tour calamiteux, par la

simple grâce d'un accident de scrutin qui a éliminé son rival, champion par forfait de l'adversaire, bref très mal élu à 80 % des voix, Jacques Chirac ne saura se dépêtrer de cette victoire triomphale. Il en déduira que la France est décidément un pays impossible à gouverner, choisissant en général de ne pas choisir quand vient l'heure des réformes, se réfugiant frileusement vers le grand large de la politique étrangère quand les vrais défis étaient à sa porte. L'ombre du grand blond avec une chemise noire, avec lequel il a courageusement refusé tout accord, gêne Chirac qui ne sait comment satisfaire son électorat qui dérive vers la droite. Il cherche par une cauteleuse démarche de centre gauche comment gouverner sans perdre sa majorité. Jusqu'à ce que Sarkozy prenne le facho par les cornes, lui appliquant un traitement qui évoque celui qu'administra Mitterrand aux communistes : une ouverture plus grande aux idées de l'épouvantail, destinée à le déplumer tout à fait. Ce qui fut somme toute réussi dans la présidentielle de 2007.

Mais c'est à gauche que le 21 avril fit le plus de mal. Le choc devait en principe être salutaire. Une telle crise civique et militante méritait un traitement de cheval. Dans chaque réunion, dans chaque meeting, dans chaque assemblée de section, toujours un citoyen fébrile, un militant solennel mettait en garde contre le spectre. Comme les Américains disaient « Remember the Maine », comme les Français d'il y a un siècle se souvenaient de l'Alsace-Lorraine, la gauche psalmodiait le culte funéraire du 21 avril, amulette destinée à contrer tous les arguments, à réfuter toutes les démonstrations, à bloquer tous les adversaires. Rien n'y fit. La statue du commandeur de l'île de Ré, un Jospin silencieux, mystérieux et sentencieux jusque dans son mutisme, paralysa la grande remise en cause qui aurait dû suivre le désastre. Il laissa le parti à son aimable héritier, François Hollande, qui ne pouvait se maintenir qu'en virevoltant au milieu d'un hostile troupeau d'éléphants. L'*aggiornamento* nécessaire fut remis aux calendes mitterrandiennes – laisser le temps au temps –, ce qui revint à ne rien faire. D'autant que les socialistes, toujours en avance d'un immobilisme, s'aperçurent que le traumatisme, surmonté dans une grande émotion militante, leur donnait une créance magique sur le peuple de gauche. Ils pouvaient commettre toutes les bévues, rater toutes les modernisations, écrire les programmes les plus ineptes : le spectre du 21 avril, de toute manière, ratatinait leurs partenaires de l'ex-gauche plurielle et leur donnait l'assurance d'une présence au second tour. Et comme Chirac s'enfonçait dans l'impopularité, l'élection, dans la tête des caciques, était imperdable.

Las ! Cette paralysie et ce cynisme provoquèrent la rébellion des électeurs et des militants. Au nom du 21 avril, il fallait renouveler les discours, renverser les statues, secouer le parti et abattre les éléphants. Seule Ségolène Royal comprit ce lancinant remords et cette colère rétrospective. Le noir spectre du 21 avril serait chassé par une blanche madone des meetings. Avec le succès que l'on sait.

Au spectre du 21 avril succède celui du 22. Une élection imperdable perdue dès le premier tour face à un Sarkozy vibrionnant. Celui-là, soyons-en sûrs, sera tout aussi difficile à conjurer…

Dernier ouvrage paru : *La Gauche bécassine*, Paris, Robert Laffont, 2007.

Marc Lambron

Kate Moss

Kate Moss ne parle pas. Son visage, son allure sont mondialement connus, immédiatement reconnaissables, mais personne ne saurait dire à quoi ressemble sa voix. On peut donc être une icône moderne sans jamais s'exprimer en public ? Structurellement aphone, le mannequin star existe donc par les signes qu'il émet, à un point de rencontre hypothétique entre le particulier et l'universel, entre la texture concrète du papier de magazine et l'irréalité abstraite de l'image qui y est convoquée.

Du côté du particulier, Kate Moss projette indubitablement une présence singulière, insubstituable, signée : une mèche en essuie-glace, la bouche qui évoque celle du canapé Mae West dessiné par Salvador Dalí, un air de fille dans les vapes que l'on ranime avec des taloches. À la fois nymphette perpétuelle, beauté sans phrases et rebelle dorée sur tranche, cette créature-écran exprime le paradoxe du désir mimétique : « Je serai moi-même en t'imitant », pensent ses admiratrices. Mais, dès lors que les signes de Kate

Moss deviennent sigles, le particulier débouche sur l'universel du luxe mondialisé : couvert de logos multiples, ce portemanteau de chair émet des messages tarifés.

En transformant ainsi une statue blafarde en femme-sandwich, les pygmalions de la mode ont inventé une Galatée de tabloïd, l'héroïne d'une saga sans paroles. Kate ne parle pas, elle traverse les tableaux d'une anthologie pop, les scènes d'une vie photographiée : tour à tour Lolita pour écrans à cristaux liquides, petite duchesse blême sur la passerelle, fiancée rock'n'roll au bras de Johnny Depp ou de Pete Doherty, idole désintoxiquée, Kate Moss écrit publiquement sa vie d'image sans jamais la commenter. Cette idole du muet a fait de ses actes une typographie du silence.

Dernier ouvrage paru : *Mignonne, allons voir...*, Paris, Grasset, 2006.

Aude Lancelin

Le déclinisme

Obèse de ses prélèvements obligatoires, à genoux devant son ex-empire colonial, la France malade d'elle-même ploie et déchoit. Elle doit se redresser, se hisser sans tarder sur de viriles talonnettes, se mettre à l'heure du jogging états-unien. Le déclinisme est l'idéologie de l'ère post-idéologique. Il a le crâne soucieux de Nicolas Baverez, la canne à pommeau d'argent de Maurice Druon, le front blême d'un Brice Hortefeux penché sur le cercueil du clandestin inconnu, le sourire narquois d'un promoteur chinois observant depuis l'extrémité du monde global un si grandiose tableau. Il a parfois le timbre ému d'un Dominique de Villepin évoquant « un vieux pays, la France... » à la tribune de l'ONU en 2003, la force du déclinisme étant d'empoisser ceux-là aussi qui cherchent à le congédier. Le déclinisme, c'est le spleen baudelairien à la portée des chiens de garde. Un chromo provincial dans un gant de fer thatchérien. Ainsi regarde-t-il la France tomber, entamer sa longue descente vers la Roumanie, et ce panorama funèbre lui est une sorte de baume. Comme tous les pessimismes, il est en effet un anxiolytique éprouvé. Ruminer le déclin, c'est déjà d'un coup d'aile se retrouver à tutoyer Thucydide, c'est s'observer avantageusement, devisant avec Marc-Aurèle des dernières avancées barbaresques aux marches de Sarcelles. Le déclinisme singe la hauteur, se donne-t-il toutefois les moyens de son propre idéal ? Il pleure sacre de Reims, mais pense baisse des charges. Il frissonne Guy Môquet, mais soupire service minimum garanti. Comme sa doublure honnie, le « progressisme », il attend tout, au fond, de l'extase économique. Une thèse d'empoisonneurs, de moribonds épuisés d'eux-mêmes, aurait pu diagnostiquer Nietzsche. On se souvient que, pour son *Zarathoustra*, le « déclin » était à l'inverse l'âge de tous les possibles, de tous les dépassements de soi. Une chose bien trop sérieuse pour être laissée aux déclinologues.

Claude Lanzmann

Le 11 septembre 2001

Le 11/9 est la litote extrême. J'ai entendu cette expression pour la première fois dans un restaurant japonais de Zermatt, à la veille du Nouvel An 2002. Comme je m'étonnais que le lieu fût quasi désert, le serveur arabe m'en donna la raison : « C'est à cause du 11/9, les Américains ne viennent plus. » 11/9, cela m'a depuis été répété, chuchoté de mille façons, comme un immense secret d'horreur et d'inavouable joie devant l'horreur, qui défiait l'énonciation, interdisait le commentaire, condamnait la pensée. 11/9, grandiose trouvaille, qui entrera dans l'histoire des hommes et restera à jamais dans celle des euphémismes sanglants au même titre que « solution finale ». Il faut pourtant oser penser, penser l'horreur. Quelques jours après le 11 septembre 2001 – qui n'était pas encore le 11/9 –, j'avais survolé, venant du nord, la côte américaine, dans un ciel bleu clair et net, déchirant de pureté, la baie de Boston et l'aéroport de cette cité marine – Logan Airport – d'où Mohamed Atta avait lui-même décollé, par une identique glorieuse matinée et d'où j'avais moi-même pris l'air tant de fois. Il ne faut pas trois quarts d'heure pour relier Boston à Newark ou Kennedy, et je l'imaginais aux commandes de l'appareil dont lui et les autres fous de Dieu s'étaient emparés, fonçant à neuf cents à l'heure vers la tour nord qu'il apercevait maintenant, dressée à la pointe de Manhattan, miroitante signature de l'aventure et du génie humains. Au lieu de se satisfaire de 11/9, il faut s'interroger, s'étonner sans fin : que se passe-t-il au dernier instant, à la seconde ultime, avant que l'avion ne se change en une tournoyante boule de feu, oui, que se passe-t-il dans la tête de ces donneurs de mort qui aiment tellement la mort qu'ils s'immolent eux-mêmes pour provoquer le plus terrifiant carnage ? J'ai scruté des heures les photographies de Mohamed Atta et de Ziad Jarrahi. Leurs visages lisses et fermés ne livrent aucune clé, les consignes et mots d'ordre pour les moments qui précèdent le passage à l'acte rendent tout plus opaque encore : *Ouvre ton âme et cire tes souliers, gaine fermement ton slip autour de tes bourses*, on peut ainsi résumer sans la trahir la monotone, lugubre et inepte litanie des recommandations dernières. Les soixante-dix vierges qui attendent au paradis d'Allah les sexes calcinés des suicidés assassins n'énoncent rien d'autre que le désir honteux et la haine des femmes, en même temps que le désert irrémédiable des civilisations de « frères ». À tous ceux qui, après un pareil crime, un tel meurtre de masse, une catastrophe qui porte atteinte à l'humanité entière, se montrent incapables de diriger sur l'horreur un regard frontal et s'abritent derrière ce frivole 11/9, il faut répondre par d'autres chiffres : 11/9 = 3 875 morts, pauvres gens pour la plupart, Portoricains, Mexicains, Chinois, Haïtiens, jaunes, juifs et noirs ; = la douleur infinie placardée sur d'immenses panneaux mobiles dans les rues de New York, avec photographies et avis de recherche désespérés qu'on ne passera jamais par pertes et profits comme au meilleur temps du Savoir absolu. 11/9 : les Américains appelaient cela « Ground Zero » ou encore « The Disaster ».

Sortie inédite en DVD du film : *Pourquoi Israël* (1973), 2007.

David Le Breton

Le 4 × 4

Les voitures sont les habitantes triomphantes de nos villes ou de nos villages, elles en régissent l'organisation, recouvrent le monde des infrastructures dont elles ont besoin pour pérenniser leur domination. La mobilité est un impératif social mais elle se paie du recours à la voiture et d'une colonisation de la vie quotidienne et des structures de la ville ou de la campagne. Étonnantes automobiles. Le coût humain et social de la voiture est terrifiant, il est l'exemple, tragique et banal, de ce que le progrès technique n'est en rien un progrès moral. Certes, la voiture n'est qu'un outil, ce sont les hommes qui les conduisent. Mais justement, cela rend le problème insurmontable. Morts banalisés, acceptés, prix payé pour maintenir ces conditions d'existence. Il convient donc d'inventer une voiture qui protège au moins son conducteur et ses passagers, une voiture qui fasse le vide autour d'elle par sa force de frappe. Trait inédit de nos sociétés modernes, nombre de nos contemporains jouissent de s'afficher sous la forme de la provocation, manière latérale de dire aux autres qu'ils ne sont pas les bienvenus et qu'il vaut mieux pour eux passer leur chemin. Ce comportement banal possède sa scène automobile sous la forme du 4 × 4.

Les jungles urbaines ont désormais leur moyen de locomotion pour aventuriers casaniers soucieux de look. Le 4 × 4 est parti à la conquête de la ville pour participer à son ultime étouffement. Il affiche sa désinvolture en occupant un espace majeur dans la rareté urbaine. Il se gare aisément sur les trottoirs (argument majeur d'achat) et, à défaut d'indigènes, les piétons ou les deux-roues font l'affaire et n'ont qu'à dégager sur leur passage. Dans son caisson d'isolation sensorielle le conducteur voit défiler un univers abstrait, distant, qu'il ne sent pas par corps mais par la médiation du pare-brise. Il n'entend rien sinon son autoradio, le ronronnement du moteur ou les paroles de ses passagers. Dans ce monde purifié, cette forteresse, il n'a que faire de la nature ou de la pollution de ceux du dehors. Tout cela ne le concerne pas.

Le 4 × 4 n'est guère adepte de la civilité, mais plutôt un gros bras qui entend montrer qu'il en a, même s'il ne s'agit plus de parcourir les forêts ou les déserts mais les rues des villes ou les chemins forestiers. N'importe quelle avenue ou campagne suffit désormais à ses exploits. Dans les forêts les marcheurs ou les amoureux du silence n'ont qu'à bien se tenir. Ce ne sont pas les cris de colère des écologistes qui les effraient, bien au contraire. N'oublions pas l'Afrique et ses raids, notamment le Paris-Dakar qui donne licence aux concurrents de parcourir sans états d'âme les pieds au plancher les villages ou les pistes africaines, habitants, enfants et animaux n'ayant qu'à se ranger des voitures.

Le 4 × 4 participe de la mythologie de la survie, l'imagination post-septembre 2001 de son conducteur bien protégé sous sa carlingue l'amène volontiers à se voir surgir indemne et triomphant des ruines fumantes de la ville réduite en poussière par une action terroriste. Au-delà d'un certain point ce n'est plus le conducteur qui fait la voiture, mais la voiture qui fait le conducteur. Le 4 × 4 transforme le tout-venant en personnage hollywoodien (du moins dans sa tête) ou en tout cas un homme (peu de femmes) hors du commun sans trop de souci pour ce qui concerne ses œuvres personnelles. Tout conducteur patenté de ce genre de véhicule reçoit sa prothèse d'identité pour se sentir enfin soi. Le 4 × 4 est un château mobile venant trancher dans l'anonymat des formes, là où les autres se contentent d'une voiture, il entend sursignifier sa présence dans les rues ou sur les routes, et ajouter avec constance et vaillance sa quote-part à la crise de l'énergie et au réchauffement de la planète.

Dernier ouvrage publié : *La Saveur du monde. Une anthropologie des sens*, Paris, Métailié, 2006.

Gilles Lipovetsky

La fièvre de l'authentique

La société d'hyperconsommation est paradoxale : tandis que triomphent le culte du nouveau et la logique généralisée de la mode (image, spectacle, séduction médiatique, jeux et loisirs), on voit se développer, à rebours de cette espèce de frivolité structurelle, tout un imaginaire social de l'authentique. On en constate chaque jour les effets : c'est la quête des « racines » et la prolifération des musées et des écomusées (pas une petite ville qui n'ait son écomusée, comme ce musée de la Crêpe en Bretagne). C'est le culte du patrimoine, avec ses quartiers réhabilités, ses immeubles ravalés, ses hangars reconvertis ; sans parler du succès des brocantes, un des loisirs les plus prisés des Français. C'est, aussi, la mode du *vintage.* La logique de l'authentique innerve de nombreux secteurs, y compris alimentaires avec les fameuses appellations d'origine protégée qui assurent le consommateur de l'authenticité des produits. On n'en finirait pas, à vrai dire, de recenser toutes les manifestations de cette soif d'authenticité. Il faudrait parler également du développement touristique des voyages dans les contrées « sauvages » ou de l'intrusion du « parler vrai » dans le politique, ainsi que du succès des discours et référentiels identitaires. Le retour du religieux y participe, en ce qu'il fait signe aux « vraies » valeurs contre la société frelatée, gouvernée par l'éphémère, le superficiel et l'artifice. L'immémorial contre l'impermanence : les deux mouvements, bien sûr, se nourrissent, la poussée du frivole favorisant celle de l'authentique.

Cet imaginaire naît de l'anxiété liée à la modernisation effrénée de nos sociétés, à l'escalade technico-scientifique, aux nouveaux périls pesant sur la planète. Il traduit une nostalgie d'un passé qu'on idéalise, d'un temps qui ne se dévorait pas lui-même, mais où l'on savait mieux vivre. Une illusion, sans doute, qui s'accompagne d'un regard critique sur notre univers insipide, stéréotypé, où sont éradiqués la sociabilité et les sens et où règne en revanche la dictature du marché et des marques. L'authentique compense, par sa chaleur, ce défaut de racines et d'humanité. C'est un imaginaire protecteur qui évoque un monde à l'abri de ces désastres.

Cette soif d'authenticité traduit-elle une pensée rétrograde, une revitalisation de l'esprit de tradition ? Nullement : elle correspond à l'épuisement de l'idéal du bien-être tel qu'il s'est construit au cours des Trente Glorieuses en même temps qu'une nouvelle exigence de mieux-être à l'heure où la voiture, la télé, la salle de bains sont diffusées dans toutes les couches sociales. L'authentique n'est pas l'autre de l'hypermodernité : il n'est que l'une de ses faces, l'une des manifestations du nouveau visage du bien-être, le bien-être émotionnel chargé d'attentes sensitives et de résonances culturelles et psychologiques. Un bien-être au carré, non plus seulement fonctionnel, mais mémoriel et écologique, qualitatif et esthétique au service de l'affirmation de l'individualité. Ironie des choses : le culte de l'authentique qui remonte à Rousseau, et qui a nourri la contre-culture, *via* Heidegger, s'est développé dans les années 1960-1970 contre le bourgeoisisme et les conventions « oppressives ». Nous n'en sommes plus là : délesté de toute portée protestataire, le culte de l'authenticité apparaît comme la nouvelle manière de rêver et d'acheter de l'*Homo consumericus* contemporain.

Dernier ouvrage paru : *Le Bonheur paradoxal. Essai sur la société d'hyperconsommation*, Paris, Gallimard, 2006.

Alain Mabanckou

Le Wifi

La messe est dite : le fil devient de moins en moins utile.

Fini le temps où nous nous emmêlions les pieds avec des raccordements sous la table, entre deux pièces, ou carrément au milieu du salon. Les moyens de communication ont atteint l'âge de l'invisibilité. Moins on est visible, plus on est efficace, fidèle – et d'ailleurs, l'appellation Wifi (*Wireless Fidelity*) ne pouvait pas mieux tomber. L'Internet sans fil incarne ainsi la fidélité, la fiabilité, la vitesse, l'aspect pratique. Ne resteraient plus dans nos esprits que des expressions surannées du genre : « passer un coup de fil », « avoir quelqu'un au bout du fil », « suivre le fil de la pensée de son interlocuteur », « de fil en aiguille », « cousu de fil blanc », « donner du fil à retordre », « ne tenir qu'à un fil », « suivre le fil de la vie ».

Qu'arriverait-il d'ailleurs si nous ajoutions à ces expressions la préposition « sans » ? On aurait ceci : *passer un coup de sans-fil, avoir quelqu'un au bout du sans-fil, suivre le sans-fil de la pensée, de sans-fil en aiguille, cousu de sans-fil blanc, ne tenir qu'à un sans-fil...*

Ai-je encore le droit de faire l'éloge du fil sans courir le risque d'être taxé d'homme des cavernes ? Le fil a sauvé des vies – il en a peut-être retiré aussi, les idées de pendaison sont aussi vieilles que son histoire. Mais soyons positifs parce que le fil a tout de même permis à certains de se sortir des situations les plus inextricables. Je pense par exemple à la pauvre Ariane, amoureuse de Thésée. Elle avait eu l'idée de lui fournir un fil afin de le tirer du Labyrinthe. L'ingratitude de Thésée qui s'ensuivit ne nous fera pas perdre le fil de notre pensée, pardon, le « sans-fil » de notre pensée…

Le monde est un vaste labyrinthe. C'est la Toile qui nous le prouve de plus en plus. Afin de ne pas nous perdre, le fil nous rassurait. Sans fil, nous nous demandons d'où viennent les informations ? Comment arrivent-elles ? Qui veille à leur circulation ? Où se situe la borne Wifi qui, dès que notre ordinateur entre dans la zone de réception, nous connecte au monde ? Est-ce que quelqu'un d'autre nous lit avant que les messages ne nous parviennent ? « On nous cache tout, on nous dit rien », aurait chanté Jacques Dutronc…

Et puis, il y a cette armée de Wifistes. Ce sont les nouveaux migrants. On peut oublier ses chaussures et sa brosse à dents, surtout pas l'ordinateur portable. Tous leurs bagages sont à l'intérieur. Il faudrait qu'on songe à leur faire payer les kilos très excédents, mais invisibles à cause de la révolution du sans-fil.

Et nos nouveaux migrants prennent d'assaut les salles d'attente des aéroports et les gares, les terrasses ou les encoignures des cafés, pour peu qu'il y ait une « borne Wifi » dans les environs. En vérité, et ils ne le savent pas : ils sont cernés à l'aide de sans-fils barbelés. Et lorsqu'ils louent une chambre d'hôtel, ce n'est pas la fenêtre qui donne sur la mer ou le confort du lit qui les intéresse. Encore moins l'accès aux chaînes câblées. Une seule question les tracasse : est-ce que l'hôtel a un « réseau local sans-fil à haut débit » ? Comment ça, vous n'en avez pas ? Il fallait me le dire, j'ai apporté mon ordinateur ! Bon, est-ce que l'hôtel d'en face, lui, a le Wifi, vous savez, la *Wireless Fidelity* ? Oui, il en a, mais les chambres coûtent plus cher. Tant pis, j'annule chez vous, je vais chez eux !...

L'autre fois, il n'y a pas longtemps, j'ai eu mon oncle au bout du sans-fil. Je sentais par sa voix tremblotante que l'âge s'acharnait de plus en plus sur lui. Mais sa passion pour la pêche m'a toujours intrigué.

– Tu vas toujours à la pêche ? ai-je demandé.

– Bien sûr !

Et j'ai poursuivi :

– Tu sais, tonton, bientôt tu pourras pêcher sans fil...

Il y a eu un silence. Je l'ai entendu toussoter puis hausser tout d'un coup le ton :

– Qu'est-ce que tu me racontes là, hein ? La pêche sans fil ? Et ma canne servira à quoi, hein ? Et puis, soyons sérieux, que deviendront les poissons, hein ? Y en a marre, est-ce qu'on leur a demandé leur avis à eux, les poissons, hein ? La pêche sans fil, c'est encore un truc des Américains ! Tu devrais rentrer au bercail pour te ressourcer, l'Amérique ne te réussit pas.

Quand j'ai raccroché mon téléphone sans-fil, je me suis dit : « Et si la pêche sans fil existait déjà ? »

J'ai pris mon ordinateur portable et me suis installé dans le jardin. Hélas, ce jour-là, le réseau Wifi ne fonctionnait pas.

Alors je me suis réinstallé dans mon bureau. J'ai pris un fil que j'ai raccordé au téléphone. Tout marchait, je pouvais maintenant naviguer, rechercher les informations sur la pêche sans fil et rappeler mon oncle le lendemain…

Dernier ouvrage paru : *Mémoire de porc-épic*, Paris, Seuil, 2006.

Patrick Mauriès

Les *people*

Comme dans l'*Enfer* de Dante, référence récurrente chez Roland Barthes, les *people* appartiennent à plusieurs cercles, qui ne communiquent pas : celui, en premier lieu, des élus, figures internationales dont la qualité essentielle serait de cumuler les qualités, d'« avoir tout pour elles » – la jeunesse, la richesse, la beauté – et d'être remarquables dans leurs moindres faits et gestes (Madonna, les Beckham, les Monaco, feue Lady Di, etc.) ; à quoi succède le cercle, plus humble mais rassurant, des figures domestiques ou nationales, de Johnny Halliday à Claire Chazal ; viennent ensuite le cercle des transitionnels, surgis d'une actualité quelconque, télévisuelle souvent, destinés à s'évanouir avec elle (Loana, Madame Déco de M6), celui des réprouvés, objets d'une chronique négative, dont on espère l'amendement (Samir Nacéri, Jean-Luc Lahaye), celui des « justifiés » enfin, au sens religieux, personnages inattendus, vieux, moches, parfois riches dont le salut tient en général à une bizarrerie affirmée et à une confrontation sans faille avec le ridicule (la baronne Brandstetter, Massimo Gargia, Mme de Fontenay, etc.).

Les *people* sont par définition limités ; ils n'ont de sens, et d'existence, que soutenus, créés, filés, poursuivis, par cet organe essentiel, leur corollaire : une presse (plus importante, parce que moins instantanée, que le média chaud, télévisuel, dont elle suit l'impulsion). *Gala*, *Voici*, *Closer* et le curieux *Bon Week* (dont le sous-titre en rajoute dans le bilinguisme virtuose : *Le premier féminin* pipole *du week-end*) : cette expansion monstrueuse de ce qui tenait à l'espace réservé, à tous les sens du mot, de la chronique mondaine constitue, comme l'on sait, l'un des secteurs les plus rentables de la presse d'aujourd'hui, animée par une chasse au *scoop* qui n'a plus la noblesse, certes relative, de celle des *paparazzi* et dont le ressort essentiel est la conquête de la part de marché.

Restreint, ce petit monde ne se livre qu'à des activités elles-mêmes comptées, guère plus de trois en apparence, dont la succession structure les magazines. Ils partent en vacances – nécessairement à Saint-Barth ou dans une île secrète des Antilles – pour échapper au fardeau pesant de leur célébrité. Prétexte non seulement à démonstration de force et de richesses – ces sur-humains ne sont pas soumis à l'espace et au temps du banal –, mais aussi et surtout à la révélation de la *vérité* de l'homme-tronc ou de la femme-potiche : de leur substrat physiologique, de la faiblesse que traduisent des bourrelets aux hanches ou un visage aviné au sortir d'une nuit de bamboche.

Motif on ne peut plus traditionnel de la presse à sensation, que vient corriger une autre tendance, une réalité sociologique nouvelle : c'est qu'en proie au risque obsédant de la sénescence, les *people*, passée une jeunesse toujours plus fugace, « *sont fiers de leur corps* » (et « *ils ont bien raison* », approuve la rédaction) : Yannick Noah se pèse deux fois par jour, jogge, baskette, plonge, nage, golfe ; Jean-Luc Delarue, un ancien « gros », fait « *deux heures de gym par jour* » : « *c'est une obligation, une survie* » ; vivantes tautologies, les *people* (ne) sont (que) ce qu'ils sont : un corps qu'il faut sans cesse exercer, maîtriser (moyennant quoi, ce que l'on considérait jusqu'alors comme le dernier signe de la muflerie, donner l'âge d'une célébrité sur le retour, devient le plus beau des compliments, la preuve éclatante, étonnante de l'éternelle jeunesse).

Les *people* se livrent sans pudeur, deuxième ressort de leurs activités, aux joies de la famille, seules véritables sources de réconfort et d'authenticité (« *Patrick Bruel n'est jamais aussi heureux qu'avec femme et enfants* »), qui rassure au moins sur le bon ordre des choses. Indice d'une avancée certaine des mœurs, il arrive que la norme comprenne ses marges : Gabbana a quitté Dolce pour un nouveau *boyfriend*, mais son souci essentiel – serait-ce par des voies détournées – est d'avoir un enfant (« *Je veux avoir mon propre enfant !* »). La famille brille, au cœur de ce système, comme son astre unique.

Inversement, et c'est leur troisième motif d'agitation, moteur éternel de la presse du cœur, les *people* rompent. Ils se quittent les uns pour les autres, dans un jeu de chaises musicales et endogamiques, et courent, ce faisant, le risque majeur, celui de la chute dans la catastrophe, la déchéance, l'alcoolisme (Britney Spears, Courtney Love). Rien de bien sanglant cependant : il n'y a guère de place ici pour la chronique uniformément glauque de la presse populaire traditionnelle, type *Détective* ou *France Dimanche*; le *people* n'est pas peuple ; la déchéance même y est mesurée, de même que le ridicule n'y tue plus. Dans ce monde à l'économie bien-pensée dont l'emblème indiscuté serait l'idiotie intransigeante, l'égoïsme milliardaire et bouffon d'une Paris Hilton, seule compte en fait la jouissance vide et obtuse de ce statut que rien, sinon le rien même, ne justifie.

Dernier ouvrage paru : *Serge Roche*, Paris, Le Promeneur, 2006.

Jacques-Alain Miller

Google

Google est l'araignée de la Toile. Il y assure une méta-fonction : celle de savoir où est le savoir. Dieu ne répond pas ; Google, toujours, et tout de suite. On lui adresse un signal sans syntaxe, d'une parcimonie extrême ; un clic, et… bingo ! c'est la cataracte : le blanc ostentatoire de la page se noircit soudain, le vide se renverse en profusion, la concision en logorrhée. À tous les coups l'on gagne.

Organisant la Très Grande Quantité, Google obéit à un tropisme totalitaire, glouton et digestif. D'où le projet de scanner tous les livres ; d'où les raids sur toutes les archives : cinéma, télévision, presse ; au-delà, la cible logique de la googleïsation, c'est l'univers entier : le regard omnivoyant parcourt le globe, tout en convoitant les petites unités d'information de tout un chacun. Confie-lui ton fatras documentaire, et il mettra chaque chose à sa place – et toi-même par-dessus le marché, qui ne seras plus, et pour l'éternité, que la somme de tes clics. Google, « Big Brother » ? Comment ne pas y penser ? D'où la nécessité pour lui de poser en axiome sa bonté foncière.

Est-il méchant ? Ce qui est sûr, c'est qu'il est bête. Si les réponses foisonnent à l'écran, c'est qu'il comprend de travers. Le signal initial est fait de mots, et un mot n'a pas qu'un seul sens. Or, le sens échappe à Google, qui chiffre, mais ne déchiffre pas. C'est le mot dans sa matérialité stupide qu'il mémorise. C'est donc toujours à toi de trouver dans le foin des résultats l'aiguille de ce qui fait sens pour toi.

Google serait intelligent si l'on pouvait computer les significations. Mais on ne peut pas. Tel Samson tondu, c'est en aveugle que Google tournera sa meule jusqu'à la fin des temps.

Derniers ouvrages parus : *Le Secret des dieux*, Paris, Navarin éditeur, 2005 ; et *Histoire de... psychanalyse*, Paris, Seuil (coll. « Champ freudien »), 2007, à paraître.

Catherine Millet

La poussette surdimensionnée

Un jeune père m'explique que le « surdimensionnement » de la poussette d'enfant auquel nous assistons depuis quelques années est dû au constat, fait par les constructeurs, que de plus en plus d'hommes prennent en main l'engin. Vérification faite sur catalogue : les modèles s'appellent Aerosport, Carrera, Vigour…, et sont proposés avec six, voire huit roues (jusqu'à 273 centimètres de diamètre), pneus gonflables, frein à disque avant et frein de parking arrière, guidon ergonomique et système de blocage de direction, etc. Ce vocabulaire fait résonner la mythologie automobile, les valeurs de puissance technologique qui s'y attachent et m'explique l'assurance avec laquelle les possesseurs de ces machines investissent les wagons de métro et coupent les files d'attente. Le mythe de l'automobile a aussi produit son érotisme mais, de ce point de vue, je ne peux m'empêcher de penser que la poussette virilisée est le retournement de ce roman-culte des années 1970, *Crash!*, de J.G. Ballard. De quoi rêve-t-on aujourd'hui, comme suite aux caresses échangées par-dessus le changement de vitesse ? Pas de carambolage ni de flirt avec la mort, mais de faire un bébé et de vie de famille. Car la poussette, pour virilisée qu'elle soit, réussit à faire entrer sa technologie dans un fantasme plus archaïque, celui de la petite maison qu'on transporte avec soi et qu'évoquent la capote et l'« habillage de pluie » qui s'y adapte, mais aussi les sacoches et le panier suspendu, le plus souvent remplis de provisions et de rechange, de quoi tenir une semaine. C'est le giron avec enjoliveurs (« réfléchissants pour une bonne signalisation en cas de déplacements nocturnes »). Ballard, auteur de SF ? Son futur me semble dater un peu, relégué par un présent de maternage.

Dernier ouvrage paru : *Dalí et moi*, Paris, Gallimard, 2005.

Ghislaine Ottenheimer

Arcelor et Mittal

L'affaire Arcelor-Mittal est une excellente illustration de l'effondrement d'un mythe : celui d'une France encore maîtresse de son destin, capable de résister au maelström de la mondialisation. Elle a aussi fait éclater aux yeux du monde entier une immense mystification : celle d'une France porteuse de valeurs universelles.

Un jour de mai 2006, un certain Lakshmi Narayan Mittal annonce son ambition de prendre le contrôle d'Arcelor, champion européen de l'acier. Quoi ? S'emparer de ce fleuron de la sidérurgie ? Un Indien ? La réaction est unanime : c'est tout simplement inconcevable. La France réagit avec d'autant plus d'arrogance qu'elle se sent en position de force. Pour préserver cette activité industrielle stratégique et assurer sa compétitivité, elle a modernisé, investi, restructuré, à coups de plans sociaux et de milliards de subventions. Les forges et les hauts-fourneaux hérités du XIXe siècle ont fusionné pour donner naissance à un géant, Usinor.

Puis Usinor s'est marié avec d'autres groupes européens pour former Arcelor, un colosse invincible.

Arcelor-Mittal. Ces deux mots, accolés, ont sonné comme un affront insupportable. Certes, Arcelor n'est plus tout à fait français, c'est une société de droit luxembourgeois, mais son arbre généalogique remonte aux maîtres des forges, aux Wendel, elle incarne tout un pan de notre histoire. Elle est un des symboles de la construction européenne. N'est-ce pas l'acier qui a permis de souder l'Europe en 1951, avec la CECA ? Bien avant le traité de Rome.

Le gouvernement s'est donc empressé de donner des leçons de « grammaire économique » au gêneur, pour reprendre l'expression du ministre de l'Économie de l'époque. On allait voir de quel bois se chauffait la France de Chirac et de Villepin ! La quatrième puissance mondiale. Au nom du patriotisme économique, nos valeureux dirigeants ont montré leurs dents, espérant intimider le prédateur. Comme ils l'avaient fait avec force gesticulations lorsque le groupe américain Pepsi avait commencé à lorgner sur Danone. Applaudissements garantis.

Car la France a avalé bien des couleuvres. Les usines délocalisées au Maroc ou en Chine. Les Coréens qui ont racheté Thomson pour un franc. Ses enfants qui se nourrissent de Mac Do et de feuilletons américains. Mais après les AGF, passées sous la coupe de l'assureur allemand Allianz, et Pechiney, raflé par les Canadiens, cette fois, elle ne se laissera pas faire. Elle va bouter cet intrus hors de l'Hexagone.

Qu'un fonds de pension américain s'invite au banquet, c'est déjà insupportable. Mais un Indien ! Dans l'imagerie populaire, l'Inde, c'est encore Mère Teresa et les bidonvilles de Calcutta. Bouddha, Krishna et les bâtons d'encens. Gandhi, le Gange, et les sâdhus. Agra et le Taj Mahal. Le Rajasthan et les palais des maharadjahs. Une destination touristique kitsch à souhait avec son Bollywood et ses fêtes de Ganesh, mais un subcontinent totalement inoffensif, condamné encore pour des décennies à appartenir à la catégorie des « pays en voie de développement ».

Pourtant. Si la France avait un peu ouvert les yeux, au lieu de se replier sur ses certitudes, elle aurait compris depuis longtemps. Compris que l'Inde était en passe de devenir une grande puissance industrielle. Avec des groupes cotés. Des milliardaires. Une croissance frôlant les 10 %. Des universités prestigieuses. Mais, en France, qui connaît Bangalore, la Silicon Valley de l'Inde ? Qui a entendu parler de l'Indian Institute of Science, qui compte pas moins de 2 000 chercheurs en informatique, en biochimie et en aérospatiale ? Et qui sait qu'en 2004 Arcelor avait été détrôné de sa place de numéro un mondial de l'acier par… le groupe Mittal ?

L'Inde ne fabrique plus seulement des t-shirts bon marché. Ses ingénieurs ont acquis une réputation mondiale. Les multinationales américaines, britanniques, allemandes, délocalisent leurs fameux R & D, leurs bureaux de Recherche et Développement, à Bangalore, Pune, Pantnagar…

Pour justifier leur hostilité, les Français ont accusé Mittal des pires intentions. Ils en ont fait un aventurier sans foi ni loi, qui réduisait ses ouvriers à l'esclavage dans des aciéries pourries. Forcément c'était une farce, un coup fourré, une escroquerie. Entre eux, les dirigeants d'Arcelor avaient surnommé l'attaquant « le petit homme brun ». Tout est dit. Les Indiens ne s'y trompent pas : ils dénoncent publiquement la xénophobie et le racisme ambiant.

Patiemment, poliment, M. Mittal a entrepris de convaincre les banques, les dirigeants politiques, mais aussi les syndicats. Et notamment la CGT qui, très vite, a saisi l'audace du projet industriel. Au final, il réussit à prendre le contrôle d'Arcelor. À coups de milliards de dollars. Sans grève. Sans drame. Nos dirigeants, hier si gaulois, si arrogants, ne pipent mot. D'autant qu'entre-temps Chirac s'est rendu en Inde pour vendre des Airbus et des centrales nucléaires ! Les médias, soudain conquis, s'empressent de faire des portraits élogieux de cet homme élégant et policé à l'accent délicieusement oxfordien, troisième fortune mondiale.

Certes, au fil des fusions et acquisitions, des délocalisations, la France était bel et bien entrée dans la mondialisation. Mais elle a découvert ce jour-là à quel point elle était fragile, mal préparée aux combats qui se livrent à l'échelle de la planète. Même ses plus beaux fleurons sont des proies faciles. Plus de 50 % des actionnaires de ses champions – le fameux CAC 40 – sont des « non-résidents », comme on dit pudiquement. Un cas unique au monde.

Le rachat d'Arcelor par Mittal marque une rupture dans l'imaginaire collectif. La fin d'un âge d'or. Le symbole d'un orgueil blessé et d'une défaite en rase campagne. Comme Azincourt, Waterloo ou Sedan.

Dernier ouvrage paru : *Le Sacre de Nicolas. Petits et grands secrets d'une victoire*, Paris, Seuil, 2007.

Thierry Pech

La passion des sondages

Il y en eut deux cents pendant la campagne pour l'élection présidentielle de 2002 et cent de mieux pour celle de 2007 : plus d'un par jour pendant neuf mois ! Les sondages sont incontestablement l'objet d'une vive passion démocratique. Pendant les semaines qui précèdent ces grands rendez-vous de la société avec elle-même, la France et les Français s'étudient, s'examinent, se scrutent avec un soin qui confine à l'obsession. L'homme de Sirius qui débarquerait chez nous dans ces moments serait sans doute stupéfait de découvrir cette masse immense louchant sur elle-même avec délectation.

La passion des sondages n'est pas le monopole des Français. Leurs voisins en sont également très friands. Le phénomène est pour partie consubstantiel à la vie démocratique. Par définition, celle-ci rend plus incertaine la transmission des pouvoirs, plus malléable la formation des consensus, plus imprévisible la direction des préférences collectives. La longue lutte des hommes pour décider librement de leur gouvernement a installé au centre de leur vie commune un terrible suspense. Ce faisant, elle a également ouvert un formidable marché aux inspecteurs de l'opinion. Dans les moments de la plus grande incertitude, à la veille des scrutins décisifs, les sondages offrent le moyen d'approcher le visage énigmatique d'une volonté majoritaire dont, par hypothèse, les urnes arrêteront bientôt le profil en couronnant la « volonté générale ». Mais ce que pense le peuple à cet instant, le peuple ne le sait pas encore. Il se cherche, se tâte, se retourne, s'ausculte : il est en gestation.

Les sondages aident ainsi des sociétés sans dieu à se rendre plus supportable le mystère de leur propre identité. La subtile alchimie des échantillons représentatifs, la méthode des quotas, l'obscure arithmétique des corrections, le suivi méthodique des tendances au long cours, toute cette technologie statistique permet de révéler aux yeux de tous un être collectif qui, sans elle, devrait attendre la délivrance des urnes pour sortir de l'abstraction, de la spéculation ou de l'éparpillement.

La curiosité quasi divinatoire qui sous-tend la demande de sondage – qui est une curiosité pour l'avenir – se double ainsi d'une curiosité pour nous-mêmes – qui est une curiosité pour le présent. Aussi est-il nécessaire de distinguer entre deux fonctions du sondage : une fonction prospective et une fonction introspective. Ce que nous attendons du sondage, c'est à la fois qu'il nous dise quel est le candidat le plus susceptible de l'emporter à un moment donné, et qu'il nous révèle dans quelle société nous vivons, avec qui nous partageons la décision, combien sont ceux qui pensent comme nous, combien, ceux qui pensent différemment de nous. Bref, qu'ils nous mettent en scène comme un corps politique qui décide de l'avenir et dont on tire régulièrement les oracles dans l'attente de son verdict.

Naturellement, les sondeurs, qui sont des personnes rompues à la défense de leur métier et aux innombrables polémiques qu'il suscite, récusent ce vocabulaire. « Un sondage n'est pas une prédiction, répètent-ils à longueur d'année. C'est une photographie de l'opinion à un moment donné et dans un lieu donné. » Et l'on pourrait ajouter : une photographie floue, mal cadrée, aux contrastes souvent discutables, systématiquement retouchée et bricolée avant d'être diffusée. Il n'empêche : en dépit de ces précautions d'usage et de ces artifices, le sondage est recherché comme l'équivalent d'une prophétie et d'une vérité qui élèvent l'opinion du moment au rang d'avenir et de généralité. Beaucoup de ces oracles incertains ne verraient pas même le jour si l'attente n'était pas précisément celle-ci. D'ailleurs, lorsque la « photo » paraît enfin à la une des quotidiens et sur les pages d'accueil des grands sites Internet, les protestations de vertu des professionnels sont vite oubliées. Le commentaire change de ton et une voix off semble s'installer au cœur de l'espace public : « Nicolas Sarkozy fait la course en tête » (il va gagner), « Ségolène Royal refait une partie de son retard » (mais elle va perdre), « Chirac rattrape Balladur » (c'est plié), « Le Pen au second tour » (faut-il croire les sondages ?).

Dans la pratique, les deux visages de la *libido sciendi* démocratique (curiosité pour l'avenir et curiosité pour le présent) sont indissociables. Car, sous nos climats, l'identité collective ne se reçoit pas de quelque ciel ou d'une quelconque tradition supérieure : elle s'identifie à la manifestation d'une intention commune. Elle épouse en cela très étroitement une forme de projection dans le futur. C'est le destin d'un être collectif qui ne réalise son unité que dans l'expression de sa volonté.

Mais c'est sans doute la fonction introspective qui explique le mieux la passion actuelle des Français pour les sondages. Car, plus que d'autres, la société française est devenue opaque à elle-même. Les outils mobilisés pour la décrire sonnent faux. Des enquêtes récentes ont ainsi montré que les Français savent de moins en moins dans quelle catégorie se ranger ou peinent à qualifier leur métier. Il n'existe plus comme naguère un « monde ouvrier » clairement identifié, mais des ouvriers de conditions assez disparates. Il n'existe plus une classe moyenne conquérante, investie du sens de l'histoire, mais des catégories intermédiaires dont une bonne partie s'interroge sur son avenir et redoute le déclassement pour ses enfants. Aux côtés des employés des grandes bureaucraties d'hier a poussé tout un petit prolétariat de services assez dispersé et peu conscient de lui-même. Bref, la plupart des grands récits sociaux qui organisaient la trame de la société française se défont, rendant toujours plus urgente la photo de famille, ce miroir de la reconnaissance où leur épuisante diversité se trouvera enfin réduite à quelques moyennes, enfin rationalisée, enfin simplifiée.

C'est sur ce narcissisme anxieux que la passion des sondages établit aujourd'hui son empire. Une volonté de savoir, de se connaître, de se représenter qui ne s'apaise jamais longtemps.

Dernier ouvrage paru : *Les Multinationales du cœur* (avec Marc-Olivier Padis), Paris, Seuil-La République des idées, 2004.

Emmanuel Pierrat

Fumer tue

Le texte a une allure de faire-part. Il est cerné de noir, comme les images sans couleurs de Cartier-Bresson. C'est un rectangle, avec un air de pierre tombale, sur lequel figure une épitaphe : « Fumer tue ».

L'emplacement est de choix. L'encadré occupe un tiers de la surface « avant » du paquet. Certes, « Fumer tue », mais coupe aussi les jambes du dromadaire, nargue le casque gaulois, ampute la gitane, etc. Quant au dos, près de la moitié de la surface est consacrée aux impératifs grammatico-sanitaires.

« Fumer tue » est un raccourci, est-il précisé implicitement. Car si ce *mantra* se répète inlassablement par l'effet de la loi sur les manufactures, il est parfois accompagné de révélations sur la forme du supplice qui conduit d'une cigarette en bouche aux deux pieds dans la fosse. « Fumer bouche les artères et provoque des crises cardiaques et des attaques cérébrales » clame un slogan qui laisse presque accroire que le suicide instantané est au bout du premier mégot venu.

« Fumer provoque le cancer mortel du poumon », plus court dans sa formulation, semble bien long pour en finir. « L'alcool tue lentement » était-il écrit, il y a quelques années, sur une affichette placardée dans toutes les rames de métro. Et un galopin avait ajouté au marqueur : « On n'est pas pressés ! »

Parfois « Fumer tue » de face, tandis que, de dos, l'oukase demeure mystérieux : « Fumer crée une forte dépendance, ne commencez pas. » Ou encore – sans que l'inhalant sache si les injonctions sont alternatives ou cumulatives – « Fumer tue » au recto, mais possède des pouvoirs bien différents au verso, sur lequel « Fumer peut nuire aux spermatozoïdes et réduit la fertilité ».

Il existe d'ailleurs une autre variante de l'atteinte à la virilité. Le coup porté en dessous de la ceinture est cette fois très rude : « Fumer peut diminuer l'afflux sanguin et provoque l'impuissance. »

La féminité n'est pas en reste, la mère de famille putative en ligne de mire : « Fumer pendant la grossesse nuit à la santé de votre enfant. » Mais la célibataire endurcie, présumée frivole, entichée de crèmes de soins et de fume-cigarettes, n'est pas épargnée puisque « Fumer provoque un vieillissement de la peau ».

Les scientifiques, ou plutôt la scientificité destinée à impressionner le profane, peuvent soudain jaillir, au détour d'une cartouche : « La fumée contient du benzène, des nitrosamines, du formaldéhyde et du cyanure d'hydrogène » !

Enfin, pour les irréductibles qui se moquent de la qualité de leur éjaculat comme de la noirceur de leurs bronches, ils sont avertis du danger qu'ils représentent pour leurs proches : « Fumer nuit gravement à votre santé et à celle de votre entourage » ; ou encore plus altruiste ou culpabilisant : « Protégez les enfants : ne leur faites pas respirer votre fumée. »

Les professions médicales y trouvent leur compte : « Votre médecin ou votre pharmacien peuvent vous aider à arrêter de fumer. » Mais les opérateurs téléphoniques aussi : « Faites-vous aider pour arrêter de fumer, téléphonez au 0 825 309 310 (0,15 euro/min). »

Manque encore du boulot pour les illustrateurs. Car que faire d'une mythologie sans icône pour la soutenir ? Les Anglo-Saxons apprécient les photos de poumons dont ils parent leurs aphorismes. L'écrivain Jacques Perret avait d'ailleurs pris tout le monde de court en affirmant que le cendrier Ricard posé sur la table de travail remplaçait aisément le crâne en guise de vanité pour rappeler la brièveté de l'existence.

Certains paraissent indifférents à la menace. Ils ne fument pas. D'autres y sont opposés, sans plus d'effroi, des tabagistes aux cancéreux avancés, en passant par les anarchistes de tout brin… D'autres encore feignent de ne pas y attacher d'importance, mais prennent souvent goût à un cache décoratif. Une énième caste peste et embraye illico sur le prix toujours en augmentation, l'interdiction d'en griller une dans tout lieu public, voire le port du casque, les couloirs de bus, etc. Enfin, il existe des pasticheurs, qui soit jouent l'indifférence soit aiment autant la provocation que les volutes diverses et variées. Ceux-ci détournent le nouvel axiome par un autocollant de remplacement aux termes duquel « La cigarette peut faire rigoler », « Fumer nu », etc.

Rêvons pour l'avenir d'un slogan plus efficace et consensuel tel que « Fumer pue » ; dont le pendant dorsal initierait au goût, en précisant : « selon la qualité du tabac ».

Dernier ouvrage paru : *Antimanuel de droit*, Paris, Bréal, 2007.

Bernard Pivot

Le football roi

Le 12 juillet 1998, en finale de la Coupe du monde de football, Zidane marqua les deux premiers buts de la victoire de la France sur le Brésil. Il les marqua de la tête. Ils ne comptèrent ni plus ni moins que s'ils avaient été l'œuvre de ses pieds. Mais à partir de ce jour de gloire et de célébration de la France bleu-blanc-beur, le football acquit auprès des intellectuels une légitimité sportive, politique et culturelle qu'il n'avait pas jusqu'alors, et il est savoureux de constater que leurs idées changèrent sur deux coups de tête d'un type connu pour l'habileté de ses pieds.

Le football a longtemps souffert auprès de nos élites de son universalité, de la simplicité de ses règles, de sa tapageuse popularité sociale qui le rangeait dans les sous-produits du populisme, voire du poujadisme. Que les jeunes Nabokov, Montherlant et Camus aient joué au foot ne changeait rien à l'affaire : ce sport de manchots manquait d'intelligence et de grâce, il était pratiqué par des ilotes, et il ne pouvait être compatible chez des personnes exigeantes avec le goût pour les choses de l'esprit. Du temps d'*Apostrophes*, j'ai été plusieurs fois attaqué par des intellos de gauche et de droite sur mon amour pour le football, à leurs yeux antinomique de mon amour pour la littérature. Le ballon ou le livre, il fallait choisir. On ne pouvait pas dans la même semaine aller au stade Geoffroy-Guichard, à Saint-Étienne, et traverser l'Atlantique pour enregistrer un entretien avec Marguerite Yourcenar. La vulgarité de mes fréquentations au parc des Princes n'était pas sans rejaillir sur les écrivains qui me fréquentaient sur les plateaux de télévision. Le football me retirait toute légitimité à les lire et à leur poser des questions. J'étais à la fois éberlué et amusé, un peu vexé aussi.

Ce n'était pas le sport qui était jugé par certains inconciliable avec la pratique des arts et des lettres, c'était seulement le football. Le rugby jouissait chez les écrivains d'une flatteuse réputation. Ses règles étaient compliquées, ses joueurs alors amateurs avaient en majorité poussé plus loin leurs études que les footeux, et ses troisièmes mi-temps alcoolisées passaient pour plus viriles que les deux premières. Il n'était pas mal vu d'être vu à Roland-Garros, sur les greens et dans les réunions de boxe. Dans les années 1970, la France n'était pas encore devenue un grand pays de sport. Elle avait des champions, mais, hormis le rugby, pas d'équipes championnes dans les sports collectifs. Enfin, Platini vint. Déjà, un fils d'immigrés. Son numéro 10 de milieu de terrain offensif, tout de vision juste et rapide du jeu, apporta la preuve à ceux qui en doutaient que l'intelligence ajoute aux pieds de la distinction et au ballon de la magie.

Mais, en 1984, le titre de championne d'Europe des nations, conquis par l'équipe de France de Platini, ne fut pas suffisant pour amener à résipiscence ou au silence les ironiques contempteurs du foot. Il fallut, quatorze ans après, le titre de championne du monde de l'équipe de Zidane, dit Zizou, autre numéro 10 dont les capacités de clairvoyance et de création dans le jeu ne restèrent ignorées que des aveugles ou des idiots.

Le paradoxe est qu'aujourd'hui le football n'a jamais été aussi contestable – affairisme, magouilles, violences des spectateurs, racisme, etc. – et qu'il n'est plus contesté en tant qu'activité sportive et culturelle. Il n'est plus ignoré ou méprisé. Ce qui ne signifie pas qu'il ne soit pas critiqué. Ses excès de toutes sortes justifient la sévérité des éducateurs, des psychosociologues, des philosophes, des moralistes, des pouvoirs publics. Mais les intellectuels le prennent désormais au sérieux. Pour eux, le foot, c'est même du nanan : interviews, débats, articles... Qui n'a pas donné son avis sur le troisième coup de tête historique de Zidane, non cette fois dans le ballon, mais dans le torse de l'Italien Marco Materazzi, en finale de la Coupe du monde 2006 ?

Dernier ouvrage paru : *Dictionnaire amoureux du vin*, Paris, Plon, 2006.

Fabrice Pliskin

Les OGM

Dans une France où le métissage est la figure du Bien («Nous sommes tous des métis»), où le président de la République se définit comme «un petit Français de sang mêlé», où le croisement des genres et des sexes est accueilli comme une promesse de libération, il est un mélange qui n'en finit pas d'incarner le Mal. Le débat sur l'OGM (organisme génétiquement modifié) est une des dernières tables rondes où un réactionnaire peut soutenir que «toutes les mutations ne sont pas bonnes», sans passer pour un réactionnaire. Dans cette région du commentaire, le lyrisme de la fluidification des identités se tarit mystérieusement. La flûte enchantée de l'effacement des frontières fait silence. Ici, la pureté n'est pas dangereuse.

L'OGM joint la violence antihumaniste de l'acronymie à l'horreur biotechnocrate. Une rhétorique de l'invasion et de la contamination stigmatise cet *alien* («Les OGM sont partout»). La science peut désormais introduire un gène de poisson dans une fraise pour la garantir des gelées ou un gène de scorpion dans du colza pour le protéger des insectes.

Si, selon le lieu commun, « on est ce qu'on mange », alors l'OGM constitue à la fois un crime contre le *bon sens* et contre l'humanité. Le discours anti-OGM implique que *l'ouverture à l'Autre* doit s'arrêter à la barrière de l'espèce. Dans cette enclave, nul ne tiendra rigueur au colza de *se replier sur soi*, de *pratiquer l'exclusion*, de *se crisper sur son identité*.

Fruit d'un complot invisible fomenté par des forces transnationales combattues par le globalisme (Greenpeace) comme par le souverainisme (Le Pen), l'organisme génétiquement modifié modifie la vieille langue à coups d'*alicaments* et révoque en doute les adages les mieux partagés (« Il faut manger des fruits et des légumes »). Un gène impur abreuve nos sillons. La terre ment. Cet épi de maïs n'est pas un épi de maïs. C'en est fait des amitiés végétales de Jean-Jacques Rousseau. La nature est aussi corrompue et artificielle que la ville. Le malheur est dans le pré. Tératologie du terroir, fraises du Mal.

L'OGM, c'est un nouveau déluge venu non du ciel, mais du sol. L'homme a perdu la confiance qui l'unissait à son « champ » et à son « assiette », ces zones de non-droit. Colza-scorpion, patate-grenouille, l'OGM, par son principe de connexion hétérogène, accomplit une mythologie soixante-huitarde : aux délices rhizomatiques de la déterritorialisation (« N'importe quel point d'un rhizome peut être connecté avec n'importe quel autre et doit l'être»), au «devenir-guêpe de l'orchidée» cher à Gilles Deleuze répond aujourd'hui le devenir-cobaye de l'homme.

Dernier ouvrage publié: *L'Agent dormant*, Paris, Flammarion, 2004; Paris, J'ai lu, 2007.

Patrick Poivre d'Arvor

La mort de l'abbé Pierre

Recherche saint laïc désespérément. Même un peu vieux, et plutôt déjà patiné par le temps. Même un peu curé, mais pas trop...

J'ai toujours été intrigué par une mythologie inventée au début des années 1980 : le classement du cœur. C'est *Le Journal du dimanche* qui en a eu l'idée et qui a demandé à un institut de sondage quelles étaient les personnalités préférées des Français. L'exercice est sympathique quoique assez cruel : systématiquement les cinq derniers de la liste voient une trappe s'ouvrir sous leurs pieds et disparaissent la fois suivante dans le plus parfait incognito. Ils ne s'en plaignent jamais publiquement et vont panser discrètement leurs blessures à l'ego. C'est qu'il s'agit d'un sondage de sympathie. Vous plaît-il celui-là, mérite-t-il votre confiance, votre sympathie, en un mot est-il recommandable pour le Paradis ?

Les heureux élus se recrutent généralement parmi les sportifs – quand ils gagnent –, les artistes – si possible chanteurs ou acteurs – et les gens de télévision. J'ai eu la chance, me disent les initiateurs de ce sondage, de faire partie de la toute petite poignée de privilégiés qui ont affronté avec succès la cinquantaine de vagues qui se sont succédé depuis la création du sondage. Cela me permet de regarder avec fraternité mes contemporains pareillement choisis. Ceux qui meurent laissent généreusement une place aussitôt comblée…

Avec une régularité de métronome, les hommes et femmes politiques se retrouvent, eux, dans les bas-fonds du classement, même démocratiquement réélus avec 82 % des voix, ou élus à 53 %. Seuls sainte Simone Veil et saint Bernard Kouchner réussissent à émerger, sans doute parce qu'on ne les prend pas pour de vrais politiciens – ce qu'ils ne doivent pas être puisque, lorsqu'on les confronte à un scrutin, ils ont du mal à s'en tirer – et qu'on les croit sortis d'une iconographie religieuse, avec sac de riz ou croix de bois sur l'épaule.

Saint parmi les saints, c'est l'abbé Pierre qui, mois après mois, mène la procession de ce rituel sondage. Il s'est inventé un nouveau métier : françaisleplusρopulaire. Signe supplémentaire de sainteté : il a un jour pris son téléphone pour dire qu'il ne voulait plus faire la course en tête. Le journal était prié de bien vouloir le rayer de ses listes. Place aux jeunes…

Voici comment l'abbé Pierre se prépara à la mort : en s'immolant sur l'autel de la notoriété. Cinquante ans durant, il en vécut. Un jour il demanda grâce. Singulier destin que celui d'un député de Meurthe-et-Moselle qui aurait pu rester inconnu tant qu'il s'appelait encore Henri Grouès. Grâce à Dieu, il fut battu et ne donna la mesure de son efficacité que hors du palais Bourbon. Une indignation lors de l'hiver 54, une voix peut-être comme pour Jeanne d'Arc, puis une autre voix, la sienne, déjà un peu cassée, psalmoldiante, terriblement convaincante, au micro de Radio Luxembourg. C'est ainsi qu'il perça le mur de l'indifférence. Durablement. Dès 1957, Roland Barthes lui consacrait l'une de ses mythologies. Un demi-siècle plus tard, l'abbé tirait sa révérence dans un concert de louanges. Il méritait bien aujourd'hui encore sa place dans l'Iconographie nationale.

Dernier ouvrage paru : *J'ai tant rêvé de toi* (avec Olivier Poivre d'Arvor), Paris, Albin Michel, 2007.

Gilles Pudlowski

Le phénomène Ducasse

13 septembre 1956 : une double naissance.

Alain Ducasse naît, administrativement, à Orthez (Pyrénées-Atlantiques). Alors que sa biographie officielle note qu'il « est né à Castelsarrasin, dans une ferme des Landes, où ses parents élèvent des oies et des canards ». Ajoutant : « Ils cultivent également des légumes. C'est peut-être de là que lui vient le goût pour les produits simples qui font toute la saveur de ses cuisines ? » C'est ainsi que se bâtit une légende.

En 1972, à seize ans, il est en apprentissage, à Soustons, au Pavillon landais. Il est ensuite élève de l'école hôtelière de Bordeaux. Et, à ce titre, forcera la porte de Michel Guérard à Eugénie-les-Bains, où il restera deux ans ponctués, l'hiver, de quelques passages chez Gaston Lenôtre à Paris.

1977, on le retrouve au Moulin de Mougins, chez Roger Vergé. Il y fait connaissance de la cuisine provençale, qui sera une des composantes essentielles de sa cuisine. Il s'y frotte aux saveurs de la Riviera dont il sera le meilleur défenseur et à laquelle il consacrera un livre.

Novembre 1978 : c'est la rencontre décisive de sa carrière. Il entre chez Alain Chapel, à Mionnay, pour deux années. C'est là, en lisière de Lyon et au seuil de la Dombes des étangs, qu'il rencontre son maître spirituel. Il apprend avec lui le respect absolu du produit de qualité et cette manière, révolutionnaire, de le mettre en scène, d'inscrire sur une carte l'intitulé complet d'un plat, de détailler ses ingrédients, de lui faire rendre tous ses sucs apparents. Il propagera cette méthode discursive qui fera florès. « Le jus d'un canard, la couleur d'un cèpe, la réduction d'une sauce » : voilà tout Chapel. Un séjour dont Alain Ducasse tire encore profit aujourd'hui. Sa manière en est bouleversée.

1980, retour à Mougins.

Roger Vergé lui offre la place de chef dans sa deuxième maison, L'Amandier, à Mougins. Un an plus tard, il prend la tête de la brigade de La Terrasse au Juana, à Juan-les-Pins. Il y obtient en 1984 deux étoiles au *Michelin* : les siennes à part entière.

1987, l'irruption à Monaco.

La Société des bains de mer (SBM) lui propose le poste de chef du Louis XV à l'Hôtel de Paris, à Monte-Carlo. Il en fera sa base de départ pour sa future conquête planétaire.

1990, la consécration.

Le Louis XV est le premier restaurant d'hôtel à être récompensé des trois étoiles au *Michelin.* Alain Ducasse a trente-trois ans et Le Louis XV est ouvert depuis trente-trois mois.

1995, sa première « maison ».

Il ouvre sa propre demeure aux autres. C'est La Bastide de Moustiers, une « simple » auberge de sept chambres en Haute-Provence, proche des gorges du Verdon.

12 août 1996 : la conquête de Paris.

Ouverture du restaurant « Alain Ducasse », qui prend la suite de Joël Robuchon dans le cadre de l'Hôtel du Parc, à Paris.

Mars 1997 : la consécration.

Après huit mois d'ouverture, le restaurant Alain Ducasse à Paris obtient trois étoiles au *Michelin.*

Mars 1998 : la double consécration.

Il devient le chef le plus étoilé en totalisant six étoiles – trois étoiles pour le restaurant Alain Ducasse à Paris, et trois étoiles pour le Louis XV de l'Hôtel de Paris à Monte-Carlo.

Décembre 1998 : le roi du gadget.

Il ouvre Spoon, Food & Wine, rue de Marignan à Paris, qui indique qu'il sait tout faire : la world cuisine, les sauces et les accompagnements au choix du client, la nourriture comme un jeu. Le succès est immédiat. Il y aura d'autres Spoon, à Londres, Hong Kong, Saint-Tropez, l'île Maurice. Ducasse devient une marque. Il est désormais « l'homme qui sait tout faire ».

Février 1999 : l'homme de chaîne.

Il prend la présidence de la chaîne volontaire des Châteaux et Hôtels de France, (anciennement Châteaux & Hôtels indépendants).

Décembre 1999 : Ducasse s'internationalise.

Dans le cadre de l'hôtel Saint Géran à l'île Maurice, naissance du restaurant Spoon des Iles, première déclinaison à l'étranger du restaurant Spoon Food & Wine de Paris.

Début 2000 : l'homme des racines.

Au cœur du village de La Celle, dans le Var, Alain Ducasse a choisi, avec son ami Bruno Clément, de faire revivre une hostellerie en Provence : l'Hostellerie de l'abbaye de La Celle.

On pourrait continuer ainsi : Ducasse est partout. Il est chez lui à New York ou Las Vegas (à l'Essex House, où il gagne ses troisièmes « trois étoiles », puis au San Regis et au Mix), à Tokyo (Beige), à Hong Kong (Spoon), en Toscane (L'Andana), au pays Basque (Iparla, Ostapé), à Monte-Carlo (Bar & Bœuf). À Paris, il investit un palace (Plaza Athénée), où il multiplie les formules (bar, terrasse, patio, restaurant trois étoiles, brasserie chic), mais il est aussi homme de bistrots (Aux Lyonnais, Benoît, Rech). Il crée une école de cuisine, devient éditeur, publie des livres de recettes, essaime les bons élèves qu'il envoie dans le monde entier et aide les jeunes chefs à se faire connaître au cours d'opérations de prestige (« Food France »).

Lorsqu'on lui demande combien de restaurants il dirige, il sourit, hésite, fait semblant de ne pas savoir, s'intéresse surtout à son prochain établissement. Son vrai projet : exister, vivre, se multiplier. Il est aussi le rescapé miraculeux d'un accident d'avion. Ils étaient cinq, entre Saint-Tropez et Courchevel. Il est le seul à respirer encore, à raconter, à témoigner. On peut sans doute trouver là la raison de sa boulimie d'homme pressé, le secret de sa passion, la source de sa ferveur.

Il ne se présente que rarement en veste de cuisinier. Passe pour un homme d'affaires, un homme d'organisation, un semeur d'idées, un synthétiseur, bref, un sourcier. Il n'est pas « le » cuisinier du XXIe siècle. Il n'est pas tout à fait un créateur. Mais il a tout vu, tout appris, sachant recréer. Il est plusieurs chefs en un seul. Il est Alain Ducasse. Et, à ce titre, il est unique.

Derniers ouvrages parus : *Pudlo* : *France* ; *Alsace* ; *Lorraine* ; *Luxembourg*, Paris, Michel Lafon, 2007.

Serge Raffy

Les bobos

Bobo… Il y a dans ce mot comme un écho de petite enfance, de gracile vulnérabilité, de douleur infime. Bleu à l'âme, nostalgie. Attention, fragile. Ceux qui imaginent le bobo en *adulescent* sensible comme une midinette se trompent lourdement. Car le bobo joue un double jeu. Il triche sans vergogne. Le bourgeois bohème avance masqué. Le bobo fait des bisbilles. Il se dissimule derrière le costume du hippie recyclé dans l'informatique, joue les écologistes sans frontières, connaît la bible du développement durable par cœur, se gargarise de droits-de-l'hommisme à tout instant. Il aime l'abbé Pierre, Bernard Kouchner, MC Solaar, Suzanne Vega, verse son obole à une ONG lointaine, déteste les guerres. Mais, au fond, il est un terrible prédateur. Un défenseur maladif et féroce de son petit territoire qui se situe généralement en proche banlieue, dans un loft réaménagé dans une usine à chaussures désaffectée. Il vit dans une couverture chauffante. Il est pour le métissage mondialisé mais ne supporte pas la mixité locale. Il a un sens extrême du voisinage. Il se crée des réserves dans lesquelles il retrouve ses frères bobos. Il se construit un ghetto high-tech, version cocooning, ultra-protégé ; mange bio, mais part au Costa Rica en Boeing 747 vivre quinze jours dans les arbres, en consommant au passage quelques tonnes de kérosène. Il balade ses bambins dans des poussettes Maclaren, marque des bolides de F1 très connus pour leur rôle néfaste dans le réchauffement climatique. Le bobo est épatant, car il assume ses paradoxes avec une décontraction de joueur de whist. Il exhorte ses enfants à réduire leur consommation d'eau, ce sera la prochaine guerre, et prend trois bains par jour pour se débarrasser de la pollution qui lui colle à la peau. Le bobo n'aime pas la boue. Le bobo, au fond, fait ce qu'il peut pour se sortir de la culpabilité de l'Occidental grand bâfreur de kilowatts. Il nous ressemble terriblement, le bobo. Il a un avantage : il ne pleure pas, il s'adapte. Il n'attend rien du Grand Soir. Il se contente des petits matins. C'est un malin. Un beatnik pragmatique. Comme l'époque.

Dernier ouvrage paru : *La Guerre des trois*, Paris, Fayard, 2006.

Patrick Rambaud

Le blog

Souvenez-vous de ces terribles mois de septembre où, invité à dîner, vous deviez subir la tragédie des photos de vacances. Le père, celui qui avait découpé le gigot, installait sur un guéridon l'appareil de torture dans lequel il glissait les paniers de diapositives, tandis que la mère poussait deux vases pour accrocher l'écran au-dessus d'un buffet. Et le supplice commençait : « Là, c'est Vanessa sur un éléphant, à Chieng Maï, hou ! qu'elle avait peur ! » Prisonnier du salon, l'auditoire esquissait des bâillements dans la pénombre mais n'osait s'enfuir.

Aujourd'hui, il y a le blog.

C'est la même chose mais rarement en famille, et on peut zapper ou éteindre l'écran sans paraître mal élevé. Tout le monde peut avoir un blog. Tout le monde peut y entrer ; il suffit de cliquer, par exemple, sur www.mauriceducon.com, pour s'offrir les dernières vacances de gens dont vous vous fichez ; ou un programme politique, des frissons interdits, les livres cités dans une émission de télé que vous avez regardée d'une fesse distraite, les états d'âme d'une inconnue.

Le blog résume à merveille l'homme électronique. Il s'agit de la version moderne de ces foldingues de Londres qui grimpent le dimanche matin sur des caisses, à Marble Arch, et débitent leurs professions de foi ou leurs imprécations devant un public aux anges. Une différence, tout de même : vous pouvez intervenir par écrit et par écran interposé, mais c'est une communication de fantômes ; n'importe qui peut dire n'importe quoi à des individus masqués qu'il ne rencontrera jamais.

Dans les années soixante de l'autre siècle, déjà, Marshall McLuhan avait prévenu : la télévision va chambouler à terme nos comportements et notre culture, ce sera un vaste retour au monde sonore et sauvage des sensations d'avant l'alphabet. Il parlait du village planétaire et nous applaudissions : oui ! Que la Terre devienne enfin un village. C'est fait. Nous y sommes. Simplement, la télévision va se laisser manger par Internet comme elle a mangé le cinéma. McLuhan ajoutait : la vie dans un village, quelle plaie ! Tout le monde épie tout le monde, il faut alors se renfermer ou s'éviter pour avoir la paix. Communiquer, dit-on, revient à s'épancher, se livrer, se confier, gonfler ses plumes et mentir à l'abri. La correspondance, la conversation, la lenteur, la promenade, le silence et la gratuité de nos actes ont quitté l'horizon. Voici le temps des solitudes électroniques.

Dernier ouvrage paru : *Le Chat botté*, Paris, Grasset, 2006.

Philippe Raynaud

Le tailleur de Ségolène

L'événement Ségolène vient de la rencontre entre une certaine idée de la femme et une certaine idée de la France. Ségolène est à la fois une femme active, une mère de famille nombreuse dont le sourire fait de chaque Français son enfant, et une belle femme émancipée qui n'était pas mariée à son compagnon ; alors que les femmes de droite, comme l'ancien(ne) ministre de la Défense, portent souvent un costume unisexe, Ségolène est de plus en plus mère et de plus en plus sexy (depuis l'époque où elle était ministre de Lionel Jospin, ses jupes ont raccourci) ; elle a le droit de refuser les questions indiscrètes (« qu'on ne lui poserait pas si elle n'était pas une femme ») mais elle peut aussi jouer de sa beauté contre des hommes qui seraient malvenus d'afficher leur masculinité. L'attention portée à ses vêtements n'est donc pas nécessairement malveillante, même si le sens n'en est pas toujours très clair : on voit bien pourquoi elle est « rouge » à Villepinte (il s'agit de « gauchir son image »), mais on perçoit plus difficilement les raisons pour lesquelles elle s'habille en blanc dans des pays où c'est la couleur du deuil. Tout en elle est simple et de bon goût : elle a choisi Paule Ka, marque discrète du XVIe, et il faut vraiment la perfidie d'un hebdomadaire de droite pour prétendre que le couturier n'est pas ravi de ce nouveau mannequin (la direction, prétend *Le Point*, « juge que Ségolène ne correspond pas du tout à leur cible : trop vieille et trop classique »). Ségolène est lorraine comme Jeanne d'Arc, elle aime les Français de toutes origines, elle sait faire les confitures et elle s'habille comme une bourgeoise branchée : elle est la France.

Dernier ouvrage paru : *L'Extrême Gauche plurielle : entre démocratie radicale et révolution*, Paris, Autrement, 2006.

Jacqueline Remy

Le grand cabas de fille

Le mystère féminin en ce début de millénaire a la forme d'un grand cabas de fille. Pour deviner son contenu, il faut être scanner. L'appendice extérieur des femmes remplit autant d'offices qu'elles jouent désormais de rôles dans la société : outil de travail, icône de mode, signe extérieur de culture, tiroir secret, malle à trésors, objet transitionnel, minipoubelle et trousse de secours. Le cabas de fille se porte long, large, mou et déstructuré. Les femmes le jettent sur l'épaule, contre la hanche, parfois en travers du corps. C'est une arme et un bouclier. Son ampleur a grossi avec les droits des femmes. Parfois, c'est lourd.

Elles-mêmes, souvent, s'en méfient. Elles l'entrebâillent délicatement, le jaugent d'un œil distrait comme on évalue un ennemi familier. Puis, le regard se fige, une main se glisse dans l'ouverture. Le grand cabas se déforme, respire, tressaute. On entend un juron exaspéré : « Merde, où je l'ai fourré ? » Au-dessus du sac, la paupière se fait anxieuse, le front se plisse. Et la main ressort vide.

Suit une exploration à deux bras, rageuse, méchante, amoureuse. Des objets surgissent, lapins du chapeau : un téléphone portable, une brosse à cheveux, un *Palm*, des lunettes de soleil, deux stylos, un blush suivi de son pinceau, un mascara, un autre de rechange, un baume à lèvres, une crème pour les mains, un cahier, un titre de transport, trois journaux, un dossier, un pull au cas où, un porte-cartes, une écharpe, un carnet de chèques, une vieille lettre écrite à la main, une facture d'électricité, un baladeur, un précis de philosophie, un trousseau de clés, une tétine de bébé – « Tiens, elle est là, celle-là ? » –, cinq échantillons de parfum. Intimité dévoilée, pudeur envolée, le cabas est publiquement mis à sac. Pour se trouver, les femmes sont obligées de se perdre.

Parfois, elles finissent par se sentir plus petites que leur sac. Si nues. Sans leur grand cabas, sont-elles encore quelqu'un ? Alors, il leur prend l'envie de le déposer, comme l'escargot sa coquille, histoire de voir. Avec juste une pochette en bandoulière, elles se croient enfin libres, jeunes, neuves. C'est si bon, d'être une page vierge.

Les citadines préfèrent encore jouer aux poupées russes. C'est leur truc à elles. Dans l'espoir d'alléger leurs vies et de hiérarchiser leurs désirs, elles placent une besace au fond du grand cabas de fille. De quoi sortir l'air dégagé lécher les vitrines et déjeuner avec Durand. Au fond de la besace, pour dîner en ville ou se rendre au théâtre, elles cachent un sac à main. Qu'elles sortent à la tombée de la nuit. Là gît parfois une pochette. Idéale pour des balades impromptues.

La pochette est immuablement lestée d'une simple bourse. Qui suffit pour aller au bistrot du coin.

Autrefois, la vie de la femme – qui se conjuguait au singulier – était simple et son réticule réduit à son rôle social. Le jour, un grand panier à provisions sous lequel elle ployait en rentrant du marché, loin des regards masculins. Le soir, un tout petit bijou de sac à main qu'elle coinçait à la saignée du coude : avec trois fois rien à l'intérieur, poudrier, rouge à lèvres, une pièce pour la dame pipi. Dans le monde, la femme allait sans poches et sans bagage professionnel, avec juste une métaphore sexuelle qu'elle balançait au bout des doigts, les jours d'émancipation : voyez mon sexe, comme il est charmant. Il est fermé, j'en tiens la poignée bien serré. Mais, clic-clac, il peut s'ouvrir. Si je veux. Si mon mari (ou mon père) regarde ailleurs. Si vous me passez la bague au doigt.

Aujourd'hui, le « *it* cabas », comme disent les magazines de mode, peut se choisir griffé d'une grande marque, quand on se prend pour Kate Moss. Mais il se doit surtout d'être à la fois unique et multiple, puisque c'est ce qu'on attend *des* femmes (employer le pluriel, le singulier est incorrect).

Il y a mille façons d'être une femme, selon les canons du siècle, mais chacune, pour mériter le label, doit exprimer ses potentialités hier brimées, varier les partitions sans oublier de se cultiver l'ego. Un seul mot d'ordre : tout réussir, et monter au top de soi-même. Il y faut bien un grand cabas. Et même plusieurs, en alternance. En cuir, ou en coton, à fleurs ou à motifs ethniques, uni ou multicolore, en plastique ou en soie, en tissu matelas ou en chinoiserie.

Le « *it* » consiste à l'assortir à la femme qu'on est sur l'instant, ni tout à fait celle d'hier ni tout à fait celle de demain.

Dernier ouvrage paru : *La République des femmes*, Paris, L'Archipel, 2007.

Jean-Marie Rouart

La gariguette

Elle a un nom qui fleure le bon vieux temps de la binette de grand-papa et de la sarclette de grand-mère ; un monde englouti avec la marine à voile, le temps des équipages, la messe en latin et les romans de Pierre Benoît. Cette petite fraise qui ne la ramène pas est un précieux vestige de nos nostalgies. À côté de ses consœurs obèses, aqueuses, cellulitiques, inodores et sans saveur, elle apparaît comme un miracle : elle reste parfumée, rouge et ferme comme un sein de jeune fille. Comment a-t-elle fait pour résister aux directives de Bruxelles, à la tyrannie des fonds de pension ou aux oukases des grandes surfaces, aux ravages du pesticide Monsanto ? Avec la reine des comices, la beurré-hardy, le puligny-montrachet, le château d'Yquem, elle s'est hissée dans l'aristocratie des saveurs. Pourquoi n'est-elle pas présente à la présidentielle, elle aussi ? Mieux que Nicolas Hulot, elle aurait plaidé pour cette cause mille fois perdue : le goût, la variété des espèces naturelles, la diversité des fruits. Devant l'eau qui sent la Javel, les abricots sans saveur ni parfum, les pommes insipides, ces fruits endeuillés de soleil et qu'on nous sort tout transis de l'hiver de la congélation, la gariguette est tout simplement une vraie fraise. Quand tout est dévasté, nous dit Giraudoux, quelque chose de merveilleux subsiste encore, « cela s'appelle l'aurore ». À nous, il reste la gariguette.

Dernier ouvrage paru : *Le Scandale*, Paris, Gallimard, 2006.

Daniel Sibony

La racaille et le Kärcher

Un mythe est un fantasme qui s'incarne pour un groupe, se fixe dans un récit, devient même le lieu commun qu'un public aime fréquenter ; pour s'y retrouver, s'y réchauffer, face à ceux dont le fantasme est différent.

Cette définition que je propose (et qui inclut celle de Barthes : le mythe, système sémiotique second), appliquons-la d'emblée au thème que suggère l'éditeur : *la racaille et le Kärcher.*

Le Kärcher est un produit de nettoyage intensif, et la racaille désigne des gens peu estimables, dont on ne sait pas trop s'ils crachent (*raquent*) ou s'ils ont craché (*raqué*), c'est-à-dire payé ; en tout cas, ils n'ont pas un grand respect de la loi ni des autres. Accoler « Kärcher » et « racaille » assimile celle-ci à une saleté, un objet à nettoyer. C'est Nicolas Sarkozy, alors ministre de l'Intérieur, qui employa l'expression à propos des jeunes de banlieue qui avaient non pas fait des émeutes (cela suppose un mouvement de foule, une certaine volonté populaire même réduite, ce ne fut pas le cas), mais fait des actes précis : brûler un nombre important de voitures, appartenant du reste à des gens du peuple. Le ministre avait lancé ce mot en écho à une habitante dans une « cité difficile » :

– *Alors, vous allez nous débarrasser de cette racaille ?*

– *Oui, madame, on va vous en débarrasser, et au Kärcher.*

Voilà pour la scène, ou le sens premier. Comment cela devient-il un « mythe », ou plutôt un symbole, voire un emblème ? – car tel est le sens ordinaire du mot *mythe* aujourd'hui (et l'on voit qu'il vient loin derrière le mythe antique, comme le mythe d'Œdipe ou le mythe de la Terre promise qui, eux, ont un champ de transmission très soutenu).

Pour l'observer, il faut chaque fois préciser le point de vue où l'on se place, le lieu où l'on met la caméra.

Un premier point de vue, disons de ceux qui dénoncent, fait de cette phrase un symbole du chef-flic-gardien-de-l'Ordre identifiant les délinquants à une saleté qu'on nettoie. À l'horizon, on pressent les nazis qui veulent nettoyer la planète ; ou des forces armées qui *nettoient* une ville ou une région rebelle. (Tout dépend alors des *imagos* qu'on a en tête : est-ce que ce sont les forces franquistes qui avancent ? les forces versaillaises « nettoyant » la Commune ? les forces libanaises délogeant des fanatiques ? les forces « alliées » nettoyant un réduit taliban ?...)

Le symbole est parlant parmi ceux qui partagent le fantasme inverse : *il n'y a pas de racaille, il n'y a pas de tares, il n'y a que des êtres souffrants* (souffrant de tares peut-être ?

non ! Souffrants tout court. S'agit-il implicitement d'inclure leur souffrance dans celle, rédemptrice, de Jésus ? Et lui, il ne souffrait pas de tares, il souffrait tout court, à cause des autres, de leur incompréhension). Tout comme ces jeunes, pour la plupart issus de l'immigration, souffrent de ce que « nous n'avons pas su » les comprendre, leur parler, les écouter, les intégrer, leur donner les moyens…

Donc, cette parole symbolise le refus d'entendre, d'être à l'écoute, de la part des « gens du pouvoir » ; surtout quand « nous » ne sommes pas dans ce pouvoir. Le symbole va raviver une autre source fantasmatique : notre *besoin de culpabilité*, lorsqu'elle seule nous donne une certaine hauteur éthique ; lorsqu'elle peut nous faire dire : *Mais c'est à nous de nous remettre en question ! Vous croyez que c'est drôle, pour ces jeunes, d'en être à brûler des voitures ?* C'est « notre surdité » qu'ils veulent secouer ! Ici se profile de loin l'action des martyrs islamiques qui se sacrifient, eux aussi, pour alerter le monde, le sensibiliser, puisqu'il refuse de voir l'oppression où vit leur peuple. Le symbole que cela rejoint c'est celui de l'être démuni, réduit à la dernière extrémité, totalement désespéré puisqu'il en vient à *ça*. Et *ça*, c'est quelque chose où prend forme *la vérité* : ces gens sont des combattants de la vérité. Et c'est la Vérité que ce faiseur d'Ordre veut nettoyer, parce qu'elle le « gêne »… La vérité, c'est celle de la justice : ces gens qu'on traite de racaille signalent par leur acte un ordre injuste ; ils n'ont pas leur part du gâteau… Cela rejoint aussi (et se nourrit d') un symbole très actif dans l'actuelle société, *l'égalité* : « Pourquoi ces jeunes sont-ils obligés de traîner à ne rien faire pendant que vous – oui, vous, là, le jeune homme en cravate qui se présente à HEC – vous avez la voie libre, toute tracée. Vous avez tout et eux n'ont rien ! »

Ainsi cette phrase, mise sur le *socle dénonciateur*, fonctionne comme un symbole qui éclaire plusieurs « aires » fantasmatiques. Ceux qui partagent ces fantasmes s'y retrouvent, y communient, s'indignent ensemble, fustigent cette approche « monstrueuse » des problèmes de l'intégration, de la jeunesse, de l'urbanisation, du chômage, du partage, de la mixité...

Si l'on déplace la caméra, on change d'angle, on entend d'autres sonorités. Essayons. Il y a tant de points de vue... Alors plantons-la en banlieue même, dans une petite foule de Français-d'origine-maghrébine, une fois que les « grands frères » sont partis, ceux qui poussent à la « révolte » tant qu'ils peuvent la contrôler. Dans le brouhaha on entend : « Mais qu'est-ce qu'ils attendent pour nous débarrasser de ces p'tits merdeux ? qui font les braves quand ils ne risquent rien mais qui attirent sur nous le mépris et le soupçon ! » Et l'un d'eux, le visage congestionné, murmure : « Ils m'ont brûlé ma voiture, je ne peux plus faire les marchés, et j'ai dû dire tout à l'heure devant les caméras que “ça ne fait rien, c'est des jeunes, je les comprends”... Mais je ne les comprends pas du tout ! D'accord, ils veulent venger leurs pères qui ont travaillé vingt ans en usine, mais s'ils étaient restés dans leurs montagnes de l'Atlas, ils auraient fait quoi ?

Ils n'auraient pas travaillé en usine, y en a pas! Mais qu'ils travaillent, bon sang, au lieu de glander. Ici, on a de bonnes conditions, on est français, on est enviés par les gens qui sont au pays.» Quelqu'un d'autre s'approche: «Il y a des glandeurs partout, mais les nôtres, ils sont violents; y en a qui les poussent. Et ces "jeunes" traquent nos filles, ils leur imposent le foulard, ils les traitent de putes alors qu'eux-mêmes font des tournantes, ou d'autres sales coups. Faut les nettoyer!»

Ici, les symboles évoqués ou titillés sont ceux de l'immigré qui veut marquer sa dignité, qui «en a marre» d'être regardé d'une certaine façon; non pas celle que dénoncent les journaux qui le défendent et qui traitent de «raciste» quiconque évoque les problèmes de la cohabitation; mais cette façon d'être vu comme lié au fanatisme, à la violence qui fusionne les individus dans une masse informe. Il voudrait savourer la dignité personnelle, individuelle, récemment conquise dans un pays de «droits de l'homme».

*

* *

Il se peut que ces lignes paraissent, dans quelque temps, aussi désuètes que le texte de Barthes, *Mythologies*, que nous feuilletons comme un album de vieilles photos. Avec des «Tiens, c'était comme ça?». Il pouvait dire: l'automobile «objet parfaitement magique [...], équivalent assez exact des grandes cathédrales gothiques» (*sic*). Au fait, était-ce vrai même dans les années 1950 ? Et l'on savoure quelques pages de cet amoureux de la photo, qui prend çà et là des clichés en n'oubliant jamais de dénoncer le côté « bourgeois » ou « petit-bourgeois » de la scène. Il avait une échelle de valeurs dans son appareil photo. Ce qu'il appelle des « mythes », ce sont des clichés ou des « clips » qu'il commente, mais comme son appareil ne change pas de place, de point de vue, il ne voit pas qu'il redouble chaque cliché par un autre, celui de sa propre position, dérivée de sa vision « objective ». Son « mythe » n'atteint pas l'idée de symbole : certes, il construit un sens second à partir d'un sens premier, mais justement ça continue, ça tourne, il y a un tiers sens, et c'est celui qu'il ne voit pas. Encore moins prend-il place dans une transmission symbolique ; cela, c'est l'objet de la psychanalyse ; laquelle agaçait Barthes prodigieusement : si on peut faire de la sémiotique, c'est-à-dire interpréter sans s'impliquer, pourquoi parler de transfert et d'inconscient ?

Or ce tournage du sens (premier, deuxième, etc.), comme pour une vis qui serre ou qui desserre, c'est lui qui donne l'histoire, le film ou la séquence d'une histoire ouverte.

Derniers ouvrages parus : *Lectures bibliques*, Paris, Odile Jacob, 2006 ; *L'Enjeu d'exister. Analyse des psychothérapies*, Paris, Seuil (coll. « La Couleur des idées »), 2007, et *Le Peuple « psy »*, Paris, Points (essais), 2007.

Yves Simon

La Smart

Dernière boîte à chaussures de la modernité, la Smart se faufile, s'immisce, se glisse avec insolence dans notre urbanité automobile. Elle se gare, nonchalante, en tous sens, en marche avant comme en marche arrière, et même de côté, le nez face aux trottoirs des cités, sans le moindre souci de créneau. Doucement, avec une constance narquoise, elle a envahi notre paysage alors qu'à sa première apparition, on la croyait condamnée à une population lilliputienne. Il n'en fut rien. Les obèses, les joueurs de basket, les minuscules, les jolies femmes, les nantis ont adopté cet objet pour bande dessinée. C'est peu dire qu'elle ne fit pas événement comme l'apparition de la DS19 dans les années 1950 que les seigneurs de la France d'alors adoptèrent aussitôt comme voiture de fonction, de représentation : leur signe extérieur de puissance. Elle ne s'imposa que lentement, modestement, à la vitesse de sa vitesse, à l'aune de sa corpulence. Lorsqu'on la vit en circulation à ses débuts, les touristes étrangers, surpris, la prenaient en photo, les autochtones au sourire goguenard ne donnant pas cher de l'avenir de ce modèle réduit pour citadin au goût esthétique farfelu. En effet, elle ressemblait à une sculpture compressée de César, à une moitié d'automobile cisaillée habilement à son arrière par Arman, à une voiture ersatz pour recalés du permis de conduire. On la voyait déjà exposée dans un musée du futur comme l'objet incongru d'un siècle à l'agonie. Tout en elle indiquait l'archaïsme, l'ère glaciaire révolue, l'erreur de casting : pataude, elle semblait destinée à la ploutocratie. Ce fut tout le contraire. La Smart s'est imposée dans notre univers de compétition comme l'objet par excellence de la sérénité. Non ostentatoire, elle indique une richesse contenue, un art de vivre tout de tranquillité où la voiture n'est plus jaguar mais panda, un doux animal dépourvu des griffes assassines et des crocs saillants du félin prédateur. Ni arrogante, ni guerrière, elle fait songer aux gentils hérissons qui traversent, à leur cadence, la dangerosité des autoroutes, qui se meuvent innocents entre les essieux de la vitesse. Elle a la taille des autos tamponneuses, ces voitures-joujoux de fêtes foraines dont les adolescents se sont grisés à prendre furtivement le volant.

Voiture zen des nouveaux samouraïs du XXIe siècle où l'art de la compétition consiste non à exhiber sa force, mais à la laisser supposer, la Smart n'a rien à prouver, elle est devenue l'image d'un monde qui se serait réconcilié avec son agressivité ancestrale, génétique, un monde de bruit et de fureur où le plus fort, toujours, l'emportait. Parlant des Américains, les combattants de l'ex-Indochine disaient : « Ils possèdent les armes de notre destruction, mais nous avons pour nous les armes de la patience et nous vaincrons. » La Smart a vaincu les chevaux piaffant sous les capots, le crissement intempestif des démarrages tonitruants, elle est cette voiture de la patience, celle des petites Puissances et des grands Sages de la planète qui, aguerris par des siècles de violence, s'assoient sur leur petit banc, contemplent des mondes qui se déchirent, et attendent.

Derniers ouvrages parus : *Je voudrais tant revenir*, Paris, Seuil, 2007, et *Épreuve d'artiste : dictionnaire intime*, Paris, Calmann-Lévy, 2007.

Philippe Sollers

L'euro

Qui se souvient du bon vieux franc hypocrite du XXe siècle ? Qui a encore en tête les visages navrés d'être ainsi prostitués sur des billets de banque, les figures de Voltaire, de Montesquieu, de Pascal ? Le franc a fini de façon atomique : Marie Curie a bouclé la caisse et, du même coup, est entrée au Panthéon.

Je regarde ma monnaie en euros et en cents. Quelques symboles français surnagent dans le métal : un visage de femme (mais c'est Royal !), une semeuse entourée d'étoiles (encore elle !), la rassurante devise « Liberté, Égalité, Fraternité ». Mais d'où me vient ce lion dressé, l'épée à la main ? Ce petit bureaucrate à lunettes ? Je sursaute devant une harpe gravée du plus bel effet : mais oui, quelle joie, c'est l'Irlande, c'est l'Eire. Bonjour, Joyce ! L'Europe, c'est toi ! Orphée ! Homère ! Je me pince : le pape, maintenant. Et puis un roi : Juan Carlos. Et de mieux en mieux (décidément l'Espagne tient le coup) : un écrivain qui s'en est tiré à travers la frappe. Voici donc le grand vainqueur de la nouvelle monnaie : Cervantès.

Passons aux billets : le dollar est bavard, l'euro est muet. D'un côté les présidents américains, Washington, Jackson, Grant, et puis les inscriptions flamboyantes, « In God we trust », « Novus ordo seclorum », « Annuit coeptis ». Tout cela est très XIXe siècle. Vous ajoutez la pyramide inachevée surmontée d'un triangle à œil, et vous avez compris que le regard incessant de Dieu vous surveille depuis quarante siècles. Au contraire, l'euro se présente la bouche cousue. Il ne se permettrait pas, lui, de parler latin. Grand silence (celui de toutes les langues qu'il représente). Passé flou, avenir suspendu. Vous apercevez des ponts, des arcades, des aqueducs, des ogives, des vitraux (un peu de chrétienté, mais pas trop), vous ne savez pas s'il s'agit de ruines ou de travaux en cours. Une carte géographique vous rappelle quand même que vous pouvez vous balader dans tous ces pays sans changer de compte. Il est possible que cet ancien continent dévasté veuille refleurir (il y a des étoiles). Les couleurs sont comme des promesses de couleurs.

L'Amérique en dollars, c'est la puissance et la Loi. L'euro, c'est les limbes. Déchiffrons l'avenir, je le vois d'ici, même si je crains de n'être pas là pour jouir de son humour gigantesque. L'euro, un jour, capté par la Chine, débouchera nécessairement sur l'eurasio. Il y aura des idéogrammes. Ce sera très beau.

Dernier ouvrage paru : *Un vrai roman. Mémoires*, Paris, Plon, 2007.

François Taillandier

Le digicode

Parce qu'il est confidentiel, comme les chiffres d'une carte bancaire ou le mot de passe d'une messagerie électronique, le digicode procure d'abord une satisfaction. Cette sentinelle incorruptible vous rappelle, en vous laissant passer, que vous êtes chez vous, c'est-à-dire logé, ayant acquitté le droit d'occuper les lieux bourgeoisement, comme disent les baux locatifs – et par ces temps de précarisation, c'est déjà en soi un grand soulagement.

Ou alors elle vous confirme que vous avez des amis. Il est délicieux d'entendre, un samedi soir vers neuf heures, le discret petit « clic » qui vous donne accès à un ascenseur, puis à un living chaleureux avec des coupes de champagne, des amuse-gueules, des conversations, de la musique. Elle vous réassure de votre existence sociale, urbaine, elle vous dit que « vous en êtes ».

Mais cette gratification symbolique se paie d'obscurs remords, de deuils secrets, du sentiment honteux de participer à un désastre de civilisation. L'aveugle petit sudoku de plastique et de métal, en effet, a cadenassé l'espace urbain. Fini le temps où l'amoureux des vieilles villes pouvait franchir un porche, découvrir une cour pittoresque, s'enfoncer dans des passages retirés, se perdre dans des traboules. Depuis que le résident a succédé à l'habitant, la flânerie est suspecte. La ville moderne tend à ne permettre que des fonctionnalités rigoureusement prévues. Au long des rues surveillées par des caméras, le digicode a des cousins et des cousines : alarmes des voitures, plots antistationnement, bornes magnétiques d'accès aux parkings.

C'est pourquoi le digicode induit une autre subtile inquiétude, politique celle-là, si l'on veut bien se souvenir que politique vient de *polis*, la cité. Pendant dix ans, vingt ans, la partie de la population qui se flatte d'être la plus intelligente et la plus éclairée aura flétri « l'idéologie sécuritaire ». Mais elle l'aura fait dans bien des cas à l'abri de son digicode. Ou même de deux digicodes, comme on le voit de plus en plus souvent. Ajoutez à cela le tri des ordures, la chasse aux excréments canins, l'interdiction de mettre du linge aux fenêtres, les lois antitabac, et soyez les bienvenus dans un monde *clean, safe… and dead.*

Dernier ouvrage paru : *Il n'y a personne dans les tombes*, Paris, Stock, 2007.

Philippe Val

Le coaching

Depuis quelques mois, le suicide au travail est en train de passer du statut de fait divers exceptionnel à celui de feuilleton hebdomadaire. Ce qui a particulièrement soulevé l'intérêt des journalistes, c'est le statut des victimes. Il ne s'agissait pas d'ouvriers à la chaîne, qui, tel Charlie Chaplin dans *Les Temps modernes*, finissent par être engouffrés dans le ventre mécanique de la machine, mais de cadres supérieurs, censés faire un travail intelligent dans des conditions confortables.

Le signe que ce n'était pas n'importe qui, c'est qu'il était spécifié dans un article qu'ils avaient « leur place de parking ». Lorsque, dans une entreprise, on a sa place de parking, c'est qu'on n'est pas loin d'obtenir le mérite national en partant à la retraite. Chez nous, à Radio France, il n'est pas rare que ceux qui ont une place de parking obtiennent la Légion d'honneur dans les deux ans qui suivent.

Bref, nos suicidés avaient tout ce que la société considère comme nécessaire pour être heureux. Mais voilà, quand on a tout pour être heureux, le plus gros reste à faire. Passer d'avoir tout pour être heureux à être heureux, c'est ce qu'il y a de plus dur.

Le cadre supérieur de grande entreprise est envié. Il a de beaux habits, un conjoint ou une conjointe agréable à montrer en société, et passe des vacances dans des endroits dont les cartes postales mettent plus de huit jours à arriver en France. On peut aligner comme ça pendant des heures les clichés qui sont les signes extérieurs des gens fortunés – Blackberry, bagages de marque, et autres petits détails qui affirment désespérément la survivance des privilèges près de deux cent trente ans après la fameuse nuit du 4 août où leur abolition a fait fuir hors de France ceux qui ne branlaient rien pour gagner plus.

Les cadres supérieurs ont deux fonctions primordiales : la première, comme leur nom l'indique, consiste à encadrer supérieurement. La seconde, non moins décisive, est d'être un objet d'envie pour tous ceux qui sont au-dessous de lui. Si le cadre inférieur trime, ne compte pas les heures, et se dévoue pour son entreprise, c'est pour devenir cadre supérieur. Le cadre supérieur est une sorte de mètre étalon à quoi tout ce qui grouille dans la partie inférieure de l'échelle des salaires rêve de ressembler. Le dynamisme de l'entreprise en dépend. Le rêve est nécessaire à la productivité. Même s'il ne s'agit que du rêve d'une place de parking qui, plus que l'argent, et au-delà de son côté pratique, semble faire le bonheur. C'est essentiel. Le cadre supérieur est une sorte d'archétype platonicien, un modèle parfait, l'idée parfaite du bonheur et de la réussite, dont tout le reste de l'humanité imparfaite doit s'approcher. Manque de pot, voici que le modèle idéal se suicide. Inquiétude des dirigeants, qui, loin de se dire un de perdu dix de retrouvés, sentent bien venir le danger.

Il faut dire que les méthodes managériales ont beaucoup évolué, ces dernières années. Tout a été calculé au milligramme et au millimètre près pour que rien du matériau humain ne soit gâché par une distraction inutile. Le salarié doit être au top de ce qu'il peut produire, comme un tennisman à Roland-Garros.

Pour cela, les cadres, ceux qui coûtent le plus cher à l'entreprise, font l'objet d'un soin tout particulier. Dans les grandes entreprises, on leur adjoint désormais un coach. Dans les cirques, autrefois, ça s'appelait un dompteur. C'est celui qui réussissait à faire s'asseoir un éléphant sur un petit tonneau sous les applaudissements des enfants. Aujourd'hui, le coach du cadre supérieur lui inculque des méthodes de maximalisation. Comment gérer son couple et élever ses enfants de façon à être toujours disponible pour le boulot. J'ai un copain cadre supérieur dans une entreprise transnationale. On lui a mis un coach. Mais comme cet ami a une forte personnalité et n'est dupe de rien, le coach a senti qu'il n'arrivait pas à pénétrer dans son cerveau aussi librement qu'il le voulait. La direction avait repéré que mon copain, sous des dehors rigides et un peu froids, était en réalité une personne très loyale et sensible, ils ont changé son coach, pour en mettre un autre, un infirme en fauteuil roulant…

Ils ont pensé que la compassion qu'il ressentirait à l'égard de la personne handicapée serait une faille suffisante pour entrer dans son intimité et agir enfin efficacement sur son comportement.

Si l'on faisait une étude aujourd'hui sur les habitudes des cadres supérieurs, on serait sans doute étonné de leur consommation d'antidépresseurs, et de drogues énergisantes comme la cocaïne. Les coachs des sportifs comme ceux des cadres supérieurs vous apprennent à être toujours au maximum de vos possibilités. Il est évident que ce type d'idéal est indissociable et sera toujours indissociable du dopage. La drogue et la vie considérée comme une performance sont les constituants nécessaires de toutes les vies de cons, comme deux atomes d'hydrogène pour un d'oxygène sont nécessaires pour faire de l'eau.

La vie est une promenade au cours de laquelle il y a le travail, l'amour, l'amitié, les deuils, les échecs et les réussites. Le plaisir que l'on a à vivre est la seule et unique justification solide de la vie. Quand on nous dit qu'elle a un sens, et qu'il consiste à travailler plus pour gagner plus, l'échéance de la mort naturelle peut très vite se transformer en désir de mort volontaire.

Dernier ouvrage paru : *Les Traîtres et les Crétins. Chroniques politiques*, Paris, Le Cherche Midi, 2007.

Georges Vigarello

Parce que je le vaux bien

La géométrie des locomotives dans les affiches publicitaires de Cassandre, le graphiste des années 1930, la surpuissance de ses paquebots, les promesses tous azimuts de ses produits correspondent à un grand âge de la publicité. Le monde s'enchante, l'objet se magnifie : les formes et les couleurs s'attendrissent, les espaces et les gestes se correspondent. Une immédiateté nouvelle aurait tout changé, du plus proche au plus lointain : « Vitesse luxe confort » pour les chemins de fer, lumières bleutées, lignes infinies pour les « pullmans » et les « trains de nuit », « enregistrement le plus performant » pour la marque Pathé, consommation « miniwatt » pour les radios Philips[1]. La publicité de la première moitié du XXe siècle promeut un bouleversement des objets : leur flexibilité alliée à leur beauté, un monde irradié de rêve et de maniabilité. Ce qui imposerait, tout autant, un boule-

1. Voir le catalogue de l'exposition, *A. M. Cassandre, Œuvres graphiques modernes, 1923-1939*, Paris, BNF, 2005.

versement de l'espace et du temps : la métamorphose de notre commande, celle de l'univers.

Le thème s'aiguise quelques décennies plus tard : l'objet n'est plus seulement chose générique, il est aussi chose personnelle. Il s'adapte. Ses qualités se particularisent. Elles s'affinent, censées correspondre aux attentes de chacun. La société de consommation, en vantant le choix, vante aussi sa possible diversité. Elle ne se limite plus à l'objet : elle s'intéresse au désir, au besoin, voire elle les crée. Non plus la voiture pour tous, par exemple, ou celles pour quelques grandes familles d'usagers, engins catégorisés et standard, mais celles différenciées jusqu'aux exigences très personnelles, engins « singuliers » sinon individualisés. D'où la foisonnante déclinaison des aménagements, celle des séries, celle des batteries d'accessoires : la montée en flèche des véhicules « personnalisables ». Ce que les slogans publicitaires rendent d'emblée sensible. La Simca 1100 T1 des années 1970 le montre avec ses six modèles dans la seule gamme 1100 et ses modèles plus nombreux encore dans les autres gammes au-delà de 1100 : « La voiture dont vous avez envie. La voiture dont vous avez besoin. » Ou les collants Dim suffisamment diversifiés pour suggérer : « À chacun sa mode. » Ou les raquettes Reebok, suffisamment étudiées pour suggérer « une seconde peau » à chaque joueur. Un individualisme nouveau s'est imposé dans cette deuxième moitié du XXe siècle, surtout après 1970 : la qualité de l'objet ne se limite plus à sa matérialité, elle gagne en immatériel, elle s'adapte à un sujet, cible son âme, ses désirs.

La dynamique se poursuit, conduite bien au-delà lorsque L'Oréal dans les années récentes fait dire au top model présentant ses produits : « Parce que je le vaux bien. » Le sens latent se déplace : la valeur passe de l'objet à la personne, inféodant les qualités du produit aux qualités du moi. D'où cette certitude aussi forte qu'implicite : si l'acquisition de l'objet est légitime, c'est bien que ma « valeur » le permet. Les attributs de la personne sont premiers, surplombant les attributs de l'objet. Non que s'efface l'idée de commande, ni même le rêve de disponibilités généralisées, mais domine l'idée de valoriser l'intime : l'épanouissement du sujet promu en rêve premier.

La logique est conduite à son terme lorsque le destinataire lui-même est visé nommément dans le message. Un « vous » ou un « nous » qui s'adressent à tous : « Parce que vous le valez bien », « Parce que vous aussi, vous le valez bien », « Parce que nous aussi, nous le valons bien ». Le destinataire est alors prioritairement assuré d'une « valeur », une ascendance première. C'est elle qui gagne le cœur du produit. Avec une remarquable ambiguïté sur le mot « valoir ». Deux sens au moins. Je « vaux » ce que coûte l'objet, calcul cyniquement financier. Je « vaux » la possession de l'objet, calcul noblement moral. Je le mérite. J'en suis digne. Ma légitimité le permet. Ce qui suppose une qualité, une performativité personnelle, affirmée d'emblée, sans ascendance ni passé. Un état : mon existence « vaut » d'elle-même et sans effort, noblesse que ma seule présence permet d'affirmer. Mieux, elle est reconnue : « Parce que vous le valez bien » me dit le top model devenue ma complice et mon garant.

Rien d'autre que le triomphe de l'individu hypermoderne décrit par nombre d'analyses contemporaines, « l'individu hypertrophié[1] », celui pour lequel « il n'y a plus de sens à se placer du point de vue de l'ensemble[2] », celui que notre société a installé brusquement en nouveau centre de « cohérence », accentuant son sentiment de primer sur toute référence sociale. C'est lui qui devient le gradient des produits : le point focal d'un univers où les objets eux-mêmes confirmeraient sa valeur en objet premier.

Le langage commun adoptant très vite la formule pour jouer interminablement avec elle l'a compris : « Je le vaux bien » est une nouvelle manière de s'installer face aux choses. La conviction d'une promotion naturelle, la certitude d'une légèreté du monde : celle qui tient non plus seulement à ses techniques mais à une totale, et première, valorisation du moi.

Dernier ouvrage paru : *Histoire de la beauté*, Paris, Seuil (coll. « L'Univers historique »), 2004.

1. Robert Castel, Claudine Haroche, *Propriété privée, propriété sociale, propriété de soi*, Paris, Fayard, 2001, p. 128.
2. Marcel Gauchet, « Essai de psychologie contemporaine. Un nouvel âge de la personnalité », *Le Débat*, mars-avril 1998, p. 177.

Paul Virilio

La délocalisation

Personne « déportée », « déplacée » puis « délocalisée », autant de termes successifs d'un glissement sémantique signalant, sinon l'exode, du moins l'exil, expression d'une mondialisation que nul ne peut contester sans encourir aussitôt les foudres des promoteurs du profit à tout prix.

Après la destruction et son extermination au siècle dernier, le temps réel semble venu de la déconstruction industrielle et de son externalisation obligée...

Pour justifier un tel déracinement de la production et de sa commercialisation, ne dit-on pas depuis peu que « la Terre est plate », après nous avoir laissé entendre qu'elle est insalubre, polluée, pour justifier la quête d'une exoplanète exotique, comme si le tourisme de masse n'était jamais que le signe avant-coureur d'une déshérence à venir, une préparation à l'épreuve d'un « parcours hors piste », l'errance du loisir loin du sol natal préfigurant le tourisme spatial, l'envol outre-monde en vue d'assurer le salut public de l'humanité ! À la suite de la décolonisation des empires, nous assistons aux prémices d'une dénationalisation du peuplement, où le citoyen du monde du travail devient soudain le citadin apatride d'une ville-monde où l'exode métropolitain vient prolonger l'exode rural des origines – la critique justifiée de l'outrance nationaliste s'émancipant cette fois tout à fait, pour contester un territorialisme prétendument dépassé par l'excès de vitesse cybernétique. Encore un peu et le repeuplement sans domicile fixe fera du « sédentaire » celui qui est partout chez lui grâce au portable, et du « nomade », celui qui ne l'est nulle part, en dehors de la bande d'arrêt d'urgence des trottoirs d'un monde sans frontières et sans but.

Derniers ouvrages parus : *L'Art à perte de vue*, Paris, Galilée (coll. « L'Espace critique »), 2005, et *L'Université du désastre*, Paris, Galilée (coll. « L'Espace critique »), 2007.

Frédéric Vitoux

Le vélo en ville

Le Tour de France se dispute à bicyclette. Mais qui s'intéresse au Tour de France, à l'heure où ses champions gorgés d'EPO sont moins vite couronnés que déchus ? Bref, la bicyclette est morte. Reste le vélo. Le vélo est une idée neuve. Du moins dans les villes (à la campagne, on l'appelle le VTT). Le vélo est de gauche. Le vélo est militant. Le vélo est écolo. Enfourcher son vélo de la place d'Italie au canal Saint-Martin, ce n'est pas se déplacer à bon compte, c'est d'abord manifester contre la bagnole, les motos qui pétaradent et les scooters qui polluent davantage. Résumons-nous ! Escalader le Tourmalet à bicyclette, c'était autrefois un exploit. Grimper à vélo la butte Montmartre, c'est aujourd'hui un effort citoyen. En selle, camarades !

Bien entendu, les voies cyclables se sont multipliées dans la capitale comme autant de tapis rouges devant les anciens ou nouveaux électeurs ! Qui s'en plaindrait ? Personne. Qui les emprunte ? Presque personne non plus. Tant pis ! On peut rêver. Il faut rêver. Le vélo est (encore) un rêve à Paris là où il est une réalité à Anvers ou à Hambourg, à Bâle ou à Knokke-le-Zoute. Reste qu'il faut déployer le tapis rouge (ou la piste cyclable) devant le rêve. Un jour, ces dames très vélo-bo-bo, si vacillantes dans leur équilibre et si robustes dans leurs convictions, cesseront de pédaler craintivement sur les trottoirs où elles importunent les piétons pour retrouver sur la chaussée les vieux cyclistes que nous sommes. Elles seront alors des millions. Adieu le mythe ! La réalité deviendra plus douce.

Dernier ouvrage paru : *Un film avec elle*, Paris, Fayard, 2006.

Arnaud Viviant

Nicolas Hulot

« L'homme qui veut sauver la Terre », titrait récemment *Le Nouvel Observateur.* Ce faisant, l'hebdomadaire des intellectuels de gauche sacrait en Nicolas Hulot l'incarnation d'une écologie qui ne serait plus politiquement de gauche, mais apostoliquement globale. Une écologie messianique volontiers teintée d'apocalypses (« La fonte des glaces n'a pas encore trouvé son peintre », comme disait Jean Malaurie). Une écologie du pacte, plutôt que du contrat, qui de Jean-Jacques Rousseau retiendrait le Bon Sauvage plutôt que le Contrat social. Une écologie proche d'un scoutisme planétaire, qui se nourrirait d'unaninisme à la Jules Romains, d'hommes et de femmes de bonne volonté, et de bonnes actions (C*ependant qu'on libéralise l'électricité, privatise l'eau, etc.*) : trier les ordures ; acheter une voiture à moteur hybride ; refaire l'isolation de sa maison ; faire du vélo ; éteindre les engins en veille ; éviter de salir les serviettes à l'hôtel ; mettre des panneaux solaires à sa fenêtre…

Car pour les classes moyennes, les seules qui soient encore historicisées, il s'agit de s'extirper de la politique, des idéologies qui ont montré leurs obtuses, bourbeuses horreurs au XXe siècle, et de parvenir à des formes de religions plus ou moins laïques, telles que l'écologie. Là-dessus, Malraux avait hélas raison : le XXIe siècle est bel et bien spirituel. En ce sens, sans doute, que c'est l'esprit qui y compte, plus que la lettre. Le pacte plutôt que le contrat.

Or l'actuelle bourgeoisie éclairée française, élevée sur fond de Larzac et de lutte antinucléaire (autant de combats qu'elle aura au demeurant perdus, au même titre que tous les Européens, Allemands y compris) a bien saisi que, portée au rang d'Idéologie, l'écologie pouvait rapidement devenir une sorte de fléau. Un « fascisme vert » qui sauverait la géographie plutôt que l'histoire, et la planète en dépit de ses habitants. Une écologie qui se demanderait quelle planète nous allons laisser à nos enfants, au lieu de quels enfants nous y allons laisser.

Afin de surmonter cette contradiction (qui pourrait peut-être bien se résumer, de façon assez piètre, à la contradiction entre Capital et Nature), il a donc fallu médiatiser l'écologie plutôt que la politiser. Et inventer pour cela des *figures intermédiaires*.

C'est par exemple le cas d'Al Gore aux États-Unis, candidat malheureux à la Maison Blanche, mais recyclé, tel un déchet politique doté d'une seconde vie, dans le combat universellement partagé contre l'effet de serre. Plus modestement peut-être, même si lui-même a bien failli se porter candidat au poste suprême, c'est Nicolas Hulot qui incarne chez nous cette écologie à visage (nouvellement) humain.

Avec son romantisme de globe-trotter échappé d'un feuilleton télévisé; avec sa belle tête de héros populaire qui s'est fait connaître sur le petit écran par ses aventures extrêmes (*Ushuaïa*: magie d'un nom, dont la succession des lettres semble désigner en elle-même une pointe du langage), la mèche au vent, Hulot lutte au fond pour les éoliennes comme Don Quichotte luttait contre les moulins à vent. Et ce, pour les mêmes raisons: *parce qu'il faut bien faire quelque chose.*

Comme les chanteurs Bono ou Sting, par exemple, il fait partie de ces stars qui, selon l'expression consacrée, ont *pris conscience.* De quoi, exactement? Eh bien, du danger global, c'est-à-dire, au sens propre, à la taille du globe. Comme des anges tombés du ciel, ces stars du petit écran, du cinéma ou de la chanson deviennent ainsi, ici ou là, d'importantes figures intermédiaires entre le Peuple et le Politique. Ils parlent. Ils parlent localement, tout en pensant globalement, ce qui, pour avoir été un mot d'ordre politique des années 1990, reste tout à fait caractéristique des anges. L'écologie évangélique a de beaux jours devant elle: elle a dans notre pays le doux visage d'un aventurier rêveur, dans une civilisation qui a arrêté son choix: plutôt l'Idéal que l'Idéologie.

Dernier ouvrage paru: *Le Génie du communisme*, Paris, Gallimard (coll. « L'Infini »), 2004.

Table

* Les textes suivis d'un astérisque sont parus dans *Le Nouvel Observateur* du 15 au 21 mars 2007, dans un dossier spécial intitulé « Nouvelles Mythologies 2007 » et dirigé par Jérôme Garcin.

** Les textes marqués d'un double astérisque sont également parus dans *Le Nouvel Observateur* du 15 mars 2007, mais sont présentés ici dans une version inédite, remaniée et souvent augmentée par leurs auteurs.

Les autres textes qui composent cet ouvrage sont inédits.

RÉALISATION : PAO ÉDITIONS DU SEUIL
IMPRESSION : GROUPE CORLET À CONDÉ-SUR-NOIREAU
DÉPÔT LÉGAL : SEPTEMBRE 2007. N° 96233-10 (131130)
IMPRIMÉ EN FRANCE